Denyse [illegible]

pour [illegible]

sur épaule droite,

comme un baiser,

... pied gauche qui trempe,

tout ce temps...,

appui solide...,

de l'épaule gauche,

contre épaule arrière droite...

rires... et caresses d'épaules

pied gauche qui se remet à bouger-

salut, Denyse

amitiés,

affection

de Base...

Ace it!

[illegible]

(POINTE-CLAIRE [illegible]-08-06 21:15)

COLLECTION FICTIONS

Gaspard au Lézard de Réjean Legault
est le cinquante-troisième titre de cette collection.

DU MÊME AUTEUR

Lapocalypse, roman, l'Hexagone, 1988.
Père et fils, lettres (en collaboration avec Roland Legault), l'Hexagone, 1990.

RÉJEAN LEGAULT

Gaspard au *Lézard*

(Lapocalypse trois)

roman

l'HEXAGONE

Éditions de l'HEXAGONE
Une division du groupe
Ville-Marie Littérature
1000, rue Amherst
Montréal (Québec)
H2L 3K5
Tél.: (514) 523-1182
Télécopieur: (514) 282-7530

Maquette de couverture: Claude Lafrance
Illustration de couverture: Josée Lambert
Photo de l'auteur: Denis Coutu

Photocomposition: Jean-Claude Lespérance

Distribution: Diffusion Dimedia inc.
539, boulevard Lebeau
Saint-Laurent, Québec H4N 1S2
Téléphone: (514) 336-3941; télex: 05-827543

Dépôt légal: 1er trimestre 1991
Bibliothèque nationale du Québec
Bibliothèque nationale du Canada

ISBN 2-89006-404-2

à mes trois femmes

à Catherine Henripin,
pour le chemin

au personnel du Lézard,
pour sa constante gentillesse

1er MOUVEMENT

L'homme gris bien dessiné

Montréal
1989

Samedi
89-07-08

16 : 31 Mercredi soir de la semaine dernière
je suis allé danser au *Lézard.*

Je suis allé danser au *Lézard,*
et j'ai touché femme en dansant.

Ça n'a pas duré longtemps,
  une danse ou deux,
et ce fut fait passablement crochement,
mais ce fut fait,
et ce qui fut fait fut fait,
c'qui fait que.

Je ne pourrais pas cependant
vous décrire la jeune femme en question.

Pas convenablement en tous cas.

Son haleine sentait l'ail,   ça, je me souviens.
Ça m'a peut-être même décroché
d'une timide érection.
Mais c'est pas sûr.

Ni l'érection, ni le décrochement.
En fait, je me rappelle bien qu'à un moment donné
je me suis ému dans mes culottes,
ç'a chauffé un peu par là,
et ça a même un peu grouillé.
Mais de là à parler d'érection,
et est-ce que tout s'est calmé quand j'ai senti,
quand j'ai senti l'ail ?
C'est pas clair.

En tous cas je sais que sentir l'ail d'un autre
quand je n'en ai pas mangé,
ça me fourre les *brakes*.
Ça réduit mon entreprise.
J'ai pas envie d'embrasser par là.

J'ai peut-être du vampire dans le système.
Hhouhh !,   de quoi faire peur au monde un brin.
Quoique…,
quand tu t'appelles Gaspard,
tu ne fais pas peur à grand monde. 17 : 04

21 : 33 Cause cause,
j'en reviens à la fille.
Elle avait des cheveux bruns.
Quoiqu'ils aient pu être un peu noirs.
Assez longs, me semble,   et plutôt raides,
mais je ne sais pas si elle avait
une queue de cheval, ou ou ?
Je ne sais pas si elle avait des yeux.
Je me rappelle deux petites fentes horizontales,
en même temps qu'un sourire sous,
et c'est surtout le sourire, à ce moment-là,
qui m'a attrapé l'attention,
parce qu'il m'acquiesçait,
il me disait oui.
Je dansions   nous nous touchions.

La piste de danse était à moitié pleine,
 dix-sept dix-huit personnes,
ça venait de se produire, ou à peu près,
je crois qu'elle avait dansé un peu auparavant
avec un autre gars, sur le devant de la piste.
Moi je dansais plutôt vers le fond,
à deux pas du mur.

Elle a surgi soudain d'entre les gens,
de l'avant vers l'arrière,
et moi je roulais bien en ma danse,
elle avait la main gauche dressée,
venant en quelque sorte devant elle,
que j'ai levé la mienne droite
pour toucher cette sienne gauche
si libre et si venante,
et batifoler quelque peu avec,
batifoler de l'énergie,
toucher léger, surprise,
agitation papillonnement,
je crois qu'elle s'est d'abord retirée…,
puis qu'elle est revenue.

Toujours la main gauche devant,
mais là, plus accostante,
intéressée, et même menante,
qu'ainsi elle m'a poussé,
je parle toujours de sa main,
sa main gauche poussant la mienne droite,
poussant élan
comme pour m'envoyer virevolter,
 un tour et puis revient,
mais pogné un peu dans mes vertèbres,
engourdi un peu dans le bas du dos,
quelque mêlure dans l'agitation de la main droite,
je virevoltai enfin très gauchement,
nous nous r'pognâmes de la même main,
ma libre gauche cherchant la sienne droite qui,
oups !,
tenait une cigarette,

ce qui peut être très brûlant. 22 : 07

Dimanche
89-07-09

09 : 25 Ma gauche donc papillonnait
autour de sa droite brûlante
qu'enfin elle s'en rendit compte,
jeta par terre sa cigarette,
que nos mains enfin dansent ensemble,
gribouille gribouille, menouche menouche,
elle me *swingna* encore en virevoltage,
elle s'en alla puis elle revint,
je la poignai par les hanches et frouche !,
me la collai contre moi en corps à corps,
quelques coups de bassin de part et d'autre,
au rythme de la musique qui adonnait bien,
et c'est là qu'il fit un peu chaud en culottes,
que ça grouilla un peu,
qu'il y eut le sourire,
que je sentis l'ail,
qu'il se produisit décrochement sans quittance,
on continuait de se rouler autour,
de se frôler,
elle agitait beaucoup sa jupe blanche, courte,
frou frou, frou frou,
on s'est r'pognés,
un peu crochement, un peu énervément,
et ça s'est fini théâtralement,
cinémalement,
comme une comédie musicale américaine,
en un corps à corps vaste et étiré,
joue contre joue,
que le gars à côté, en veston vert clair,
en applaudit discrètement.

Puis la musique se tut, puis la musique reprit. 09 : 49

19 : 32 Et trala lala, et trala lalère,
elle faillit me décrocher le nez
avec son grand sac à main en bandoulière
qu'elle portait haut sous l'aisselle
et qui dépassait par en arrière,
si bien qu'en se tournant prestement,
alors que je me penchais devant…,
oups !,
ç'a bien failli, ç'a bien failli,
mais rien de fâcheux ne se produisit,
qu'elle continua sur son élan tournicoti,
et qu'elle alla déposer ce traître sac
sur le cubicule noir sur le bord de la piste,
le cubicule le cubicule,   le machin noir,
la boîte noire, la caisse, l'espèce de caisse,
en bois peinturée noir,
qu'on peut s'asseoir dessus,
ou monter dessus pour y danser,
qui fait qu'on est comme sur un petit *stage,*
et lalala et lalala,   le déposa là,

et puis se mit à danser
avec le jeune homme au veston vert clair. 19 : 45

19 : 51 Il y avait un peu moins de monde sur la piste,
elle dansait avec un formidable élan,
une énergie quasiment dévastatrice,
elle levait haut les genoux,   oh boy !,
elle les levait haut,
faisant quasiment du sur place,
qu'elle était belle à voir aller…,
tout cet élan,   cette énergie,
ces hauts genoux, ces hauts genoux,   oh ô,
que d'où j'étais,   deux-trois pas à côté,
j'aurais pu me rapprocher,
glisser la main gauche sous sa cuisse gauche
quand son genou justement haut hautait,
et oh oh,   pogner la vulve,   direct dessus,
et ô et ô,   la renverser un peu d'en haut,

la pogner du bras de l'épaule droits,
et te lui câlisser un *french,*
tout en lui *mainmenant* la noune,
mais VOYONS DONC ! !,
on fait pas ça !

Bref, elle dansait bien, et,
me connaissant,
j'ai dû me gratter de la main droite
l'arrière de l'oreille gauche,
à mi-hauteur à peu près,

tout en dansant, évidemment. 20 : 11

20 : 15 En fait, pour être honnête,
l'histoire de la vulve
ne m'est même pas venue à l'esprit.

Ce n'est que tantôt, en revoyant le film,
en revoyant ses hauts genoux,
que j'ai commencé à voir des choses sous…,
des choses…,

the calling of the vulve…,

ou something like that, mesdames et messieurs,

… pardonnez-moi. 20 : 26

Lundi
89-07-10

15 : 52 Surtout que si je me suis mis à écrire,
samedi dernier,
à propos de ce qui se passe au *Lézard,*

c'est pas du tout pour vous parler
de « the calling of the vulve ».

J'ignorais même l'expression
jusqu'à hier soir au ras de vingt heures vingt.

C'est bien pour dire.

Non non non,   je me navrais, plutôt.

J'assombrissais,   je désespérais.

Pensez,
ça fait sept mois que je danse au *Lézard,*
au moins une fois par semaine,
  le mercredi, généralement, vers 23 h,
deux fois, souvent, depuis une couple de mois,
  le vendredi ou le samedi, le premier plus fréquent,
et ce n'est que ce mercredi
d'il y a maintenant presque deux semaines
qu'il s'est enfin passé
quelque chose d'un peu significatif :
ce corps à corps endansé
avec mademoiselle hauts genoux.

Je suis retourné danser le vendredi suivant,
puis mercredi et vendredi derniers encore,
et il ne s'est à peu près rien produit,
sinon quelques flammèches
avec mini-robe grise épaules nues et queue de cheval
  dancing together sur le cubicule noir,

... dont peut-être je vous parlerai,
peut-être pas.
Ça va dépendre du temps,
et ça va surtout dépendre de comment je débrouille.

Bon.

Je me navrais,   j'assombrissais, je désespérais.

Vous dire d'abord que c'est Lapocalypse
qui m'a amené au *Lézard* en décembre dernier,
un mercredi soir.

Lubréole était avec nous.

J'ai beaucoup dansé avec elle,
  dansé-touché, s'entend,
et j'ai fait une danse ou deux avec Lapocalypse,
  bodybodage également,
mais ça, avec eux,   ça ne pose pas de problèmes ;
ça fait quelques années que je les connais,
et ça fait quelques années qu'on roule là-dedans,
le bodybodage,
sous l'entraînement de Lapo.
We're good at it,
ça nous vient tout seul, maintenant.

Le problème,
le problème est venu de ce qu'on m'ait planté là,
tout fin seul.

Ce fameux soir de décembre,
Lapocalypse m'a dit,
  pendant que Lubréole était aux toilettes :
— Tu devrais venir danser ici
   au moins un soir par semaine.

   … T'arranger pour qu'il se passe de quoi.

J'ai fait l'innocent :
— S'passe de quoi… ?

Il a dit :
— Touche.

Puis il a sorti son allure Dieu le Père
et il m'a figé là :
— Sois un Danseur de Vérité.

Puis il a souri,
l'esti d'saint sacrament,
et il n'est jamais revenu.
Lubréole non plus.

Débrouille-toé, mon grand !

Eh bien ! voilà.
J'écris, depuis samedi dernier,
parce que le débrouillage est lourd,
et je me dis qu'en écrivant,
l'entreprise va peut-être s'alléger. 17 : 21

19 : 19 Je ne vais pas vous dire ceci pour vous mêler,
encore moins pour vous écœurer ;
mais il se trouve que nous sommes le 10 juillet.
Or savez-vous qu'on prononce le dix *di*
devant une consonne,
et que donc il faut dire :
nous sommes le di juillet,
et non :
… le diss ?

Moi, encore la semaine dernière,
je ne savais rien de tout ça.

J'ai dû passer la journée à dire diss.

Dites,
il y a bien sûr des moments où l'on prononce diss,
et d'autres, même, où l'on prononce diz.
Savez-vous quand l'un et l'autre ?

Voir Hanse. S'cusez. 19 : 32

Mardi
89-07-11

18 : 54 Et mademoiselle Hauts genoux ?,
peut-être demanderez-vous ?

Ou vous et elle ?,
peut-être préciserez-vous ?
Vous ? !

… C'est ça c'est ça,   soyons suaves.
Vousvousvoyons-nous.

On se vouvoie.

Mademoiselle Hauts genoux et moi,
ça s'est terminé à peu près là
où j'ai arrêté de vous en parler.

J'ai débarqué de la piste pas longtemps après,
j'ai vigvagué entre le monde,
je suis possiblement zallé aux lavabos,
  me passer de l'eau au visage,
  puis en boire un bon lot,
  … pisser un coup peut-être,
  peut-être pas,
sortir de là,   la toilette très colorée,
tourner à gauche,   passage menant à l'avant,
à l'espèce de véranda haut vitrée
qui donne sur la rue Saint-Denis,
  coin Rachel,

  du deuxième…,
où peut-être je me suis assis,
le temps de sécher un peu.

J'étais sur mon départ.

Mais j'allais la revoir, mademoiselle Hauts Genoux.

Pas longtemps après,
j'étais sorti...,
j'étais descendu,

ça aboutit en plein sur le coin de la rue,
en quelque sorte,
sous un porche en stuc,   si je ne m'abuse,

et j'étais là planté en plein centre,
dos au vestibule,
quand elle est sortie prestement,
passant à ma gauche,
se garrochant presque dans la rue Saint-Denis,
... en tout cas, y allant vitement,
oubliant quasiment de regarder
s'il y avait des voitures...,
et traversant la rue, finalement,
poursuivant, m'a-t-il semblé,
un garçon qui venait tout juste de sortir
et qui s'en allait par là,
de l'autre bord à gauche,

vers le *Passeport* peut-être,   un autre bar.

Moi je suis rentré chez moi,
m'en revenant à pied sur Rachel,
de Saint-Denis à Hogan,
which is quite a way, *mi* friends,
at nearly 3 o'clock in the morning,
after all that dancing.

But then again,
botte them again, han ? !

Have a good night,
vous.   19 : 44

Mercredi
89-07-12

09 : 08 Good morning, vous.

How do you do ?

How's your english ?

Au Québec, ça se passe en français.
How's that ?

Y'a une fille qui se déshabille devant ma fenêtre.

Elle porte un bermuda long rayé
et elle a un beau gros fessier.
Ses bermudas sont déchirés,
en haut de la cuisse gauche,
bas sous la fesse.
Elle porte des verres fumés
et un jean jacket blanc.
Des quasi-bottillons, de toile blanche.

Du rose sur ses lèvres pulpeuses,
et des boucles d'oreilles rose foncé brillant.

Elle vient d'enlever son jean jacket,
qu'elle a posé sur le siège du passager
de la petite jeep jaune
dont elle achève de relever-plier la capote.

Elle porte sous
un genre de petit T-shirt bustier,
très court,
qui lui laisse le rond ventre à l'air.
Le ventre est brun, cuivré,
le T-shirt est blanc
avec des yeux de minou sur le devant, bleus,
et quelques taches roses éparpillées.
Elle porte aussi des bracelets.

Je disais :
y'a une fille qui se déshabille devant ma fenêtre,
mais c'est pas vrai.

C'est moi qui la déshabillais.

Elle,   elle attendait dans sa jeep,
stationnée sur le bord du trottoir ;

je pensais qu'elle attendait quelqu'un
du bureau de l'aide sociale,
de l'autre côté de la rue,
mais ce ne doit pas être ça,
puisqu'elle vient de repartir.

Bye bye ma cowboy,
oups !,
elle vient de repasser,
et il y avait, sur le siège du passager,
une blonde avec les cheveux raides sur la tête.
Punk.

Dieu que la vie est mouvementée.
Il fait soleil,   vingt-deux degrés.

Je venais vous parler
de la jeune fille en mini-robe grise
qui,   vendredi dernier au *Lézard,*
s'est amenée danser sur le cubicule,
alors que déjà j'y dansais.   09 : 40

16 : 28 Elle venait du côté de la piste,
au ras du mur,
d'un groupe de deux-trois gars,
  une autre fille, peut-être ;
elle eut quelque difficulté à monter
sur ce podium d'environ 60 cm de hauteur,
aussi l'aidai-je,   en lui tendant la main,

qu'elle prit et op !,
sourire bienvenue,
s'agiter,
continuer en ma danse,
m'étant tassé ce qu'il fallait,
pour qu'elle s'active en la sienne...,
ce qu'elle faisait,
danse danse,
92 cm par 122,   environ,   de surface de danse,
faut quasiment se forcer,   pour ne pas se toucher.
Eh bien !,   on ne se touchait pas.
Mais je zigoubaillais,
je zingzingfaisais,
je défrisaillais,
j'essayais j'essayais,
et une fois même
j'ai carrément mis les mains dessus,
mais j'étais de dos à elle,
et je ne sais pas si elle,
elle était de dos, de face ou de côté,
alors je ne sais pas ce que j'ai touché,
je sais que le contact fut bref,
et que mes mains sont demeurées là un moment,
comme accessibles,
et danse danse...,   on ne se touchait pas,
je me suis r'tourné,
sourires   frôlements,
des agréablements,
la musique s'est tue,
elle est descendue,
j'ai continué un boutt,
à m'agiter sur le podium.   16 : 48

Jeudi
89-07-13

13 : 58 Hier soir je suis allé danser au *Lézard*,
et il ne s'est rien produit.

Absolument rien.

Même que j'aurais tendance à dire
que les filles se poussaient.

Les gars aujourd'hui,
  de ce que je vois au *Lézard,*
dansent plus que les filles.

Ils sont là plus longtemps,
et sur plus de danses.
C'est surtout ça que je veux dire :
  ils dansent plus de danses.
Je ne parle pas seulement de quantité,
mais aussi, et surtout, encore une fois,
de qualité, dans le sens de genre.
Ils dansent plus de genres de musique.

Ils sont plus débloqués.
Plus explorateurs.
Ils portent souvent bermudas et T-shirts rayés,
et ont souvent le tour des oreilles tondu.

Ils sont généralement beaux.

Ils ont parfois du style, quelle élégance !

Y'a des pirates Maboule
et quelques cheveux longs
autour d'un ou deux dégarnis.
Quelques rasés, une queue de cheval tressée là.

Parfois un ivrogne,   mais c'est très rare.

Hier soir je suis allé danser au *Lézard,*
et il ne s'est rien produit.

Sacrament qu'ça m'afflige
quand ça se passe de même !

Je sors de là les deux jambes à moitié mortes.

Pensez,
j'y arrive à 23 h, en repars vers 3 h,
quatre heures de danse quasiment sans discontinuer,
et rien.

Fuck. 14 : 23

22 : 09 Pardon.

J'aime bien l'entrée du *Lézard.*
En porche de stuc argent,
une porte flanquée de deux panneaux,
le tout vivement coloré.
Comme des flammes blanches qui,
du bas de la porte,
montent dans des coloris d'allure fluo
de vert tendre, de jaune doux et d'orangé.
Quelques grosses rouges roses par-dessus ça,
et,
écrit petit sur la traverse de la porte,
modestement en écriture scripturale pas foncée :
god corporation.
J'adore ça.

L'été, souvent la porte est ouverte.

Escalier poussiéreux,
tournant tôt sur la droite, un peu,
puis montant droit.

La cage de l'escalier,
merveilleux !
Une grande coloration.

D'abord du jaune citron sur murs et plafond.
Puis des grandes flèches de tous formats,
  vert lime, lisérées noir,
courbant, ondulant, allant.
Et soudain,   à la tournure de l'escalier,
le jaune citron rougeoie.

La joie !

Enfin…

Hier soir je suis allé danser au *Lézard,*
et il ne s'est rien produit.

Bonne nuit. 22 : 36

Vendredi
89-07-14

19 : 48 Bonsoir,
je suis pompette.
J'achève une bouteille de vin.
Je ne vous dirai pas pourquoi.
Ce n'est pas un très bon vin.
5,95 $.
C'est écrit sur la bouteille,
en haut sur le plus petit écusson :
  LeGaultier
  Vin de France.
En bas, sur le carré écusson,   en gros :
  ExportRéservE.

Tantôt, en préparant mon souper,
j'ai ouvert la bouteille
et je m'en suis versé 3 onces
dans un petit verre givré humoristique de 4 onces.

Dans un petit verre givré humoristique ?

Laissez laissez,
nous en reparlerons peut-être un jour.
Peut-être pas.

Et puis je prends une gorgée.
Yaak !,   encore une piquette,
sans goût, sans intérêt.
Je mets la bouteille au frigo,
  quinze-vingt minutes,
pendant que je fais sauter les champignons,
le poivron vert, la carotte râpée,
et les fèves germées,
pour manger avec le poulet
qui cuit en sa graisse de rôti.
  Une recette de Lapocalypse.

Le vin est un peu meilleur une fois refroidi.

J'achève la bouteille.
M'en reste à peine 8 onces.
Même pas 250 millilitres.

Je suis un peu pompette.

N'empêche,
tantôt,   vers 23 h,
je vais aller danser au *Lézard*.   20 : 08

Samedi
89-07-15

09 : 46 Brand new day, the sun is shining,
it's fresh in the morning,
les ti-zoiseaux chantent,
les messieurs à côté, en arrière au deuxième,
sablent les planchers,

hier soir je suis allé danser au *Lézard,*
et il ne s'est rien produit.
Je n'ai pas touché.

Mais j'ai failli tomber en amour
avec une belle grande Anglaise.

Oh !, une belle grand'femme.
Une vraiment très belle grand'femme.
Aux cheveux bruns mi-longs, *straight,*
les bouts un peu roulés vers l'intérieur,
frange sur le front,
aux os pas gros, mais longs,
enveloppés de juste ce qu'il fallait de chair,
pour ne pas avoir l'air maigre,
à la limite même de la maigreur,
en bourgeonnement de rondeur,
gracieuse gracieuse gracieuse,
belle petite bouche rose
dans une élégante mâchoire en V
délicatement autoritaire,
de classique beauté,

et qui portait une mini-jupe en denim blanc,
oh sacrament !,
qui montait assez haut à la taille,
qui lui faisait petit ventre rond mignon devant,
bel *ass* derrière,
oh oui !, bel *ass* bel *ass,*
et un foudroyant plancher pelvien,
que je me disais,

dansant tout à côté d'elle,
à côté, devant, de dos,
frôlant frôlant, parfois,
souriant à sa t'chum
qui souriait grand en retour,
pas moyen de pogner un sourire d'elle,
la grande Anglaise,
mais des yeux verts, je crois, des yeux verts,

et moi d'travers. 10 : 38

10 : 46 J'ai frôlé tentativement assez souvent,
mais pas pesant,
peut-être pas assez pesant,
sans doute pas assez pesant,
assez assez, you see the ass ?
Et le verbe asser ?

J'ai pas parlé.

J'ai pas dit un mot.

Esti qu'chu niaiseux !
Esti qu'chu niaiseux !
Esti qu'chu niaiseux ! 10 : 51

16 : 31 Beau et chaud.
Les femmes,
elles se promènent en cuisses et pas grand-chose.

Je reviens de chez Freddie le Beigneur.
La rue Roy est un véritable chantier
du parc Lafontaine à la ruelle Saint-Christophe.
Coin Saint-André,
une colosse de pelle hydraulique orange et bleu
avait le godet plongé
dans un immense trou au beau milieu de la rue.
On refait les égouts.

Quand je suis entré chez Freddie,
il drommait à sa friteuse
Take Me With U,
une vieille toune de Prince
qu'il chante en duo avec Apollonia :
"Don't care where we go,
I don't care what we do"...,
et takatak,
Lapocalypse au fond à droite au bout de la table,
dos à la fenêtre,
lisait en *La Presse* étalée devant lui
le retour de Guy Lafleur avec les Nordiques.

Flouche flouche, Freddie s'occupait de ses beignes.

Lapocalypse portait un élégant bermuda à revers,
kaki pâle plutôt beigeant,
et un pull blanc à rayures noires
acheté chez Dozier.

J'ai raconté à Freddie
l'épisode de la belle grande Anglaise.

Il m'a dit :
— Maudit qu'té niaiseux !
Maudit qu'té niaiseux !
Maudit qu'té niaiseux !

Lapocalypse, là-bas, souriait par en dessous,
le sacrament !,

et on se fouta de ma gueule royalement. 17 : 37

19 : 27 Bon bon bon, j'ai laissé braire.

J'ai dit :
— Pourquoi vous ne venez pas au *Lézard* avec moi ?
En gang, il se passerait d'quoi.

— Ça t'aiderait pas,
a dit Lapocalypse.

— Faut qu'tu t'déniaises avec les femmes,
a dit Freddie.

En rajoutant :
— Ça s'aborde une femme, t'sé.
  Tu peux parler à ça, une femme.
  … T'as une bouche, elle a des oreilles,
  ça sert…,
et ainsi de suite,
bla bla bla bla bla bla.

Y peut bien faire des « vulves chaudes »,
c't'esti-là !
Géribooire ! 19 : 39

Dimanche
89-07-16

17 : 43 Pardon.

N'empêche,
faut que je vous raconte
cette histoire de « vulves chaudes »,
typiquement freddienne, si j'ose dire.

C'est en octobre dernier
que Freddie a décidé
de composer et de façonner un nouveau beigne
qui se voudrait avoir la forme d'une vulve,
comme ses « schnolles au miel » se veulent avoir,
et ont effectivement un peu,
la forme d'une paire de gosses.

À cette différence que la « vulve chaude »
n'est pas un beigne au miel

mais à la cannelle,
que Freddie recommande de manger chaud.
Il en fait aussi une version au sucre cristallisé,
mais il soutient mordicus
que l'authentique « vulve chaude »
est un beigne à la cannelle.

Moi, personnellement,
j'aime autant l'un que l'autre,
et je les mange généralement
à la température de la pièce.

En octobre dernier, disais-je,
et je m'en rappelle bien,
parce que ça allait très mal à ce moment-là,
entre Freddie et Uredrue.
À cause de l'enfant qu'ils essayaient de faire.
Imaginez, ça faisait quasiment un an
qu'ils y travaillaient.

C'est au début d'avril de l'année dernière,
je crois,
soit environ un mois après que Freddie
se fut installé avec elle,
qu'Uredrue a découvert, au hasard d'une lecture,
que le cannabis avait un effet dévastateur
sur la spermatogenèse,
réduisant considérablement, d'une part,
la quantité de spermatozoïdes,
et estropiant gravement, d'autre part,
une bonne partie de ceux produits.
Or Freddie est gelé à temps plein.
Il fume quatre-cinq joints par jour,
sept jours par semaine.
Il est « officially high »,
comme le chanterait Lewis Furey.
Uredrue a donc conclu
qu'il avait les spermatozoïdes tout *fuckés,*
et que c'est pour ça
qu'elle ne tombait pas enceinte.

Partage so so innocent de l'information d'abord,
style « as-tu lu ça, Freddie ? »,
puis revient sur le sujet,
ramène ramène,
Freddie qui disait :
— Coudonc, sacrament !,
  les hippies ont eu des enfants.
  Le monde s'est pas arrêté à eux autres !,
and on and on...,
chamaille chamaille,
Uredrue qui voulait qu'il cesse de fumer
quinze jours par mois,   pour être sûre,
ayant lu aussi que les éléments actifs de l'herbe
pouvaient demeurer huit jours dans l'organisme,
... ou quelque chose du genre...,
et vous voyez le tableau ?,
Freddie qui ne voulait rien savoir,
Uredrue qui insistait,   se trouvant raisonnable,
et le couple qui s'abîmait.

Octobre fut particulièrement désastreux,
  surtout qu'en septembre,
  ils avaient semblé s'être retrouvés.
Uredrue se remit au bloody mary
alors que Freddie,   gelé à'planche,
s'investit en ses *doughnuts,*
et composa ses « vulves chaudes ».

Incidemment,   le mois suivant,
Uredrue apprenait
que c'est elle qui ne pouvait pas être fécondée.
Quelque chose à voir avec l'état de ses trompes,
  si j'ai bien compris,
  mais je ne suis pas sûr.

  Enfin...

Le plus beau de l'histoire des « vulves chaudes »
reste à venir,
mais je vous raconterai ça demain.   19 : 21

Lundi
89-07-17

17 : 02 C'est un excellent beigne, soit dit en passant,
que je préfère même aux schnolles.

La base est très semblable ;
c'est-à-dire que la pâte est faite épaisse
d'un mélange de trois farines,
blé, avoine et seigle,
tout comme les schnolles,
mais avec une petite différence mystère
dans les proportions.

À part ça, il y a ici de la crème 15 %
qu'on ne retrouve pas dans les schnolles.
Drôle à dire évidemment, mais enfin…

Mais c'est dans le traitement
qu'est la plus grande différence.
Alors que dans le cas des schnolles,
Freddie fait sa pâte, la coupe et la cuit,
dans celui des vulves,
il pétrit sa pâte,
puis il la laisse reposer 12 heures dans le pétrin,
avant de la couper et de la cuire.
Je ne sais pas si c'est cela qui aide,
mais je trouve que les vulves
offrent une chair beaucoup plus moelleuse.
Enfin…

Je parlais d'une histoire typiquement freddienne.
C'est que Freddie s'est largement inspiré,
pour concocter son mélange,
d'une recette de sœur Berthe.

Cocasse, non ?
Sœur Berthe et les « vulves chaudes ».

Freddie dit que c'est tout à fait accidentel.

« Ouais ouais ouais »,
disait Lubréole.

Et Freddie souriait. 17 : 23

21 : 03 Mais avant tout ça,
je vous parlais du *Lézard,*
de vendredi soir dernier,
la belle grande Anglaise,
  dont le souvenir m'émeut encore,
et je vous disais qu'il ne s'était rien produit.

Je n'avais pas touché.

Je n'ai pas touché,
mais d'autres se sont touchés.
Un gars et un gars, l'un brun, l'autre blanc.
Aussi une fille avec un autre gars.
  Ces deux-là, je les avais vus avant,
  régulièrement.
Ils se touchaient d'une manière que je connais :
la manière danse-contact.
J'ai déjà suivi un séminaire de ça ;
c'est bien intéressant,
c'est cocasse, c'est vivant, c'est surprenant,
c'est souvent beau,
je frôle autour,
mais j'embarque pas vraiment,
on dirait qu'ils suivent pas tout à fait
la musique comme elle se plaît.

Ils s'étirent,   ils sont lents, ils sont longs,
ils s'allongent, ils s'écroulent en *slow-motion,*
ils tombent sur le plancher,
ils s'empilent au ralenti,
se relèvent en déployant,
ce sont des oiseaux, ce sont des êtres grands,
c'est souvent impressionnant,

je frôle autour je frôle autour,
mais la musique ne va pas d'même.

Je n'accroche pas, je n'accroche pas.

Heureusement qu'il y avait là
la belle grande Anglaise aux yeux pers verts.

Les jambes meurent moins   en ces cas-là.   21 : 27

Mardi
89-07-18

16 : 40 It's another day again,
je suis tout mêlé je suis tout mêlé.

I don't know why.

Il fait chaud,   ça n'a rien à voir.

I don't know what's taking hold of me.

And why all this English   all of a sudden ?

Ça peut énerver les intellectuels, ça…,
and some of the people.   16 : 50

Mercredi
89-07-19

20 : 35 J'pense pas trop à la belle grande Anglaise.

J'y pense pas trop mais,
à un certain moment de la journée,
alors que j'y pensais pas trop, justement,
je me suis dit
que si j'arrêtais pas d'y pas trop penser
à la belle grande Anglaise,
c'est que,
et cela m'a frappé soudainement,
elle réunit en elle seule
les caractéristiques de trois des femmes
que j'ai le plus aimées.

Oui oui..., la coupe de cheveux, l'allure,
les yeux verts, la quasi-maigreur,
le English side of her,
oui oui, en clignant des yeux,
je peux quasiment revoir en elle
trois de mes anciennes femmes.

Ce doit être pour ça qu'elle a produit sur moi
un si profond effet.

Enfin...

Je suis passé voir mon éditeur, hier,
histoire de voir si ma première œuvre,
  mon étonnant pamphlet *La verge marrie,*
  paru l'été dernier,
n'aurait pas fait quelques petits en signe de piastres.

Not yet,
et pas avant deux mois.
Le temps que rentre le dernier rapport du distributeur,
puis le temps de comptabiliser tout ça,
— et dites-moi, mon cher ami,
    écrivez-vous de ce temps-ci ?

Je lui parlai de ce journal.

De la danse au *Lézard* le mercredi soir.
Et le vendredi aussi.

De mes difficultés à toucher femme en dansant
et de comment c'était ça le thème.

De la gang de la rue Saint-Hubert,
Lapocalypse, Freddie, Uredrue, Lubréole,
Claire-Émilie, Bertha-Bella, Mme Sansraison,
et monsieur Cézéfar, son mari,
et comment ils pourraient être mêlés à ça,
ou pas.

Il sembla apprécier.

Il se gratta le haut de l'oreille gauche,
puis se frotta le dessous du menton,
d'un geste vif du pouce gauche,
et s'alluma un petit cigare,
non sans m'en offrir un
que je refusai poliment, ne fumant pas.

Il souffla,
moi aussi,
puis il me congédia
style
— allez travailler, mon cher monsieur,
et revenez-nous vite avec cet intéressant manuscrit.

Un brave homme, mon éditeur.

Monsieur Sbinius Labonté.

Ne soyez pas effrontés.

Enfin…

C'est mercredi, avez-vous remarqué ?,
et tantôt, bien sûr,

je m'en vais danser au *Lézard,*
wouatatator ! 21 : 25

Jeudi
89-07-20

19 : 44 Je peux bien wouatatatorer, moi.
Je suis un beau, moi.

Il y a une coupe de cheveux, chez les femmes,
à la mode depuis une couple d'années,
chez les jeunes femmes, je dirais,
chez les toutes jeunes femmes, même,
  en tous cas, les presque tout jeunes,
  avec une rescapée par-ci par-là,
une coupe donc
que je qualifierais même de « branchée »,
qui « offre » la nuque, en quelque sorte,
parce que les cheveux y sont très courts,
presque ras,
même chose sur les côtés, autour des oreilles,
mais oups !, ça coupe carré dans l'épaisseur,
comme si on avait découpé autour d'un bol,
quoique   c'est plus sophistiqué que ça,
il peut même y avoir une mèche sur le front
qui donne un mouvement cranté à la coupe,
et donc,
il y avait deux de ces coupes hier au *Lézard*
qui me sont un peu tombées dans l'œil,
l'une avec sa copine,
l'autre avec son copain.
Copain ?   ?
Enfin…

Ces coupes-là habituellement,
de ce que j'ai pu noter en général,
enchâssent des visages plutôt pâles

où règne d'abord la bouche,
généreusement colorée rouge.

Et ces bouches-là,
de ce que j'ai pu noter jusqu'à date,
n'ont pas le sourire facile pour les étrangers.

C'est comme je vous dis.

J'ai beau être un beau, moi,
y'a aussi des belles.

Enfin…

"Guess I'll always have to be
  Living in a fantasy
  That's the way it's got to be
  From now on",
c'est pas moi qui le dis,
c'est Supertramp,
  out of « Even In The Quietest Moments »,

ce qui nous amène huit lignes plus loin,
et ce qui nous mêle un brin,
puisqu'on parlait du sourire facile ou pas
de certaines jeunes femmes.

Elles n'ont donc pas le sourire facile,
généralement,
mais hier soir,   l'une de ces chevelures élégantes,
  celle avec le copain,
m'a fait un beau sourire de sa petite bouche rouge.
  Je venais de lui accrocher le bras gauche,
  avec la rondeur interne de mon ongle du pouce droit,
  j'ai fait oups ! des bras,
  elle a fait oups ! du sien gauche,
  se touchant le bracelet de montre,
  j'ai souri j'ai dit « pardon »
    sans savoir si elle a compris,
  oups !, c'est là qu'elle a souri.

My goodness !
Moi qui m'attendais à trois cubes de glace.
J'ai dû gigoter du bassin tout un souin-souin,
c'est comme rien.

Enfin…

J'ai dû battre des paupières aussi
et faire un bout d'chemin la langue pendante.

J'ai dû quitter celle-là
et aller rôder auprès de l'autre, la gorge nue,
mais je ne me souviens plus.

L'une et l'autre dansaient très bien.

L'une et l'autre étaient de jolis corps,
affriolants.

J'aurais mis mes dents dedans,
n'importe quand.

Je ne l'ai pas fait hier soir.

Chu pas capable,   chu pas capable.   20 : 50

Vendredi
89-07-21

19 : 39 Non mais, quelle journée !
Ce matin vers dix heures trente,
driing !…, ça sonne à'porte,
je vais ouvrir,

c'était Lubréole,
en petite robe quasiment tout nue
et en sandales Okabashi.

Comme si ça ne m'aurait pas suffi,
elle tenait de sa main gauche
la main d'une petite fille,
oui oui,
une petite fille,
mignonne comme tout,
en petit short   rayé blanc et rose,
petit chandail sans manches,   blanc à pois roses,
petites bottines blanches,
  avec quelque chose d'écrit en rose sur le côté,

une mignonne petite fille, bon sang !,
une mignonne petite fille,
avec deux petites couettes au-dessus des oreilles,
deux petites barrettes roses dans les cheveux,
châtain blond, ses cheveux,
et un petit air timide, oh !,
qui la fit se coller contre la cuisse de Lubréole,
quand j'eus ouvert   et apparu.

Je ne lui ai pas dit,   à la petite fille,
mais je me serais bien collé aussi
contre cette flamboyante cuisse.

Myyyyy goodness !, qu'elle était cuisse vêtue.
Eeee pardon,   court vêtue.
Voyez ? Quatre heures après,   et je m'embrouille encore.

Elle portait une mini-robe de rayonne, bleu gris,
  à emmanchures américaines,
    qu'elle en avait les épaules nues,
  à décolleté vertigineux,
    qu'elle en avait quasiment les totons à l'air,
égayée de deux volants sur les hanches,
  invitation à frou-frouter,
et qui tombait sept centimètres maximum

en bas de la noune,
  invitation à fou fou fou, à fou fou fou,
  à fou fourrer,   j'vous l'fais pas dire.

La petite fille s'appelait Émilie,
elle avait deux ans,
c'était sa nièce.

Elle ne m'a pas lâché de la journée.

Je les ai fait dîner de pennine,
puis nous sommes dehors allés jouer,
la petite enfant et moi,
à arracher des tiges d'hémérocalles flétries,
et à les cacher plus loin
dans les drageons fous du lilas vieux.

Je ne sais pas comment ça s'est passé,
mais c'est elle qui a initié le jeu.

Descendant le petit escalier gris de deux marches,
elle a tendu la main vers une verte tige
dont les fleurs étaient toutes tombées,
s'est mise à tirer dessus,
ça ne venait pas facilement,
je me suis approché, bienveillant,
parce qu'elle était encore sur la dernière marche,
que j'avais peur qu'elle perde l'équilibre
et qu'elle tombe,
elle a dit :
— Aider.
   Gaspard tirer.
J'ai dit :
— Oui oui,
   mais descends l'escalier d'abord,
   pour pas tomber,
et je l'ai aidée,
et nous avons tiré,
la tige est venue,
je la lui ai laissée,

elle l'a examinée,
s'est retournée,
a traversé les dalles de béton,
a débarqué dans le gazon,
s'est dirigée vers les drageons,
  cinq-six pas plus loin,   des pas à elle,
les a écartés un peu,   y a faufilé sa tige,
l'y cachant,
puis revenant,
en redemandant,   choisissant la tige qu'elle voulait,
toujours des tiges sans fleurs,
moi l'arrachant, le plus souvent,
  mais parfois tirant à deux,
et elle allant la cacher.

Curieux manège   qui nous fit arracher-cacher ainsi
une douzaine de tiges,
et allons-nous nous mettre à philosopher,
et à tenter de percer la symbolique ?

Vous ferez bien ce que vous voudrez,
moi c'est non.
Je suis crevé.
Ça devait faire huit ans, certain,
que j'avais pas *dealé* avec un enfant de cet âge.
J'avais complètement oublié à quel point ce peut être
totalement accaparant.

Joue à ci joue à ça,
fais ci fais ça,
saute ici saute là,
viens ici va là,
non non oui oui,

c'est charmant c'est charmant,
mais ça ne vous laisse pas souffler.

Enfin…

Elles sont parties vers quinze heures.
Je suis allé faire quelques commissions.
Je suis revenu chez moi,
et j'ai trouvé tout à coup que c'était bien mort.

N'empêche,
sommes Friday,
tantôt je vais danser au *Lézard*. 21 : 27

Samedi
89-07-22

16 : 04 Hier soir au *Lézard,*
je me suis fait sacrer en bas du podium.
Par une fille, à part de ça.

Faut dire que ça fait une couple de mois maintenant
que je fais du podium régulièrement,
à toutes les fois où j'y vais.

Cela a commencé un samedi soir.
La piste était bondée,
une cinquantaine de personnes,
on se dansait sur les pieds,
y'avait un gars, juste devant moi,
qui dansait avec une fille, juste devant moi,
et nous étions tout contre le podium du fond ;
alors le gars me dit,
se penchant à mon oreille et indiquant le podium :
— J'te gage que t'as peur de monter là-dessus.

J'y dis :
— T'as ben raison.

Y'm'dit :
— C'est fait pour danser dessus, t'sé.

J'y dis :
— Je sais.

Y'm'dit :
— O.K. !, on monte à deux.
J'y dis :
— Non non.
Y'm'dit :
— Come on.
J'y dis :
— Laisse faire.
Y'm'pogne !, le sacrament.
Y'm'pogne quasiment à bras-le-corps,
y'lève une jambe pour monter sur le podium,
puis y'é là à tirer sur moé pis à m'dire :
— Viens-t'en viens-t'en, on y va ensemble.
Moé, j'veux rien savoir,
je fais mon pesant,
y'arrive pas à m'grimper là-d'sus,
ben j'voudrais ben voir ça,
y'désespère,
y'laisse faire,
ouf !
sa blonde a'rit,
nous autres aussi,
fin de l'épisode.

Quelques minutes plus tard,
seul comme un homme,
il grimpa sur le podium
et se mit à danser.

Quand il redescendit,
je lui dis :
— T'é courageux.

Il sourit, haussa les épaules,
l'air de dire « y'a rien là »,
puis s'en alla.

Une demi-heure plus tard,
je grimpais sur le podium. 16 : 49

Dimanche
89-07-23

17 : 58 C'est exactement sur ce podium-là
que je me trouvais hier soir,
exécutant ma ixième danse,
quand soudain je vis venir,
se faufilant entre les danseurs,
une fille en bleu et noir,
pas petite pas grande, 1 m 63 environ,
les cheveux bruns, longs,
les côtés remontés sur le dessus,
retenus j'ai pas vu comment,
lousses longs à l'arrière sur la nuque dans le dos,
qui tirait par la main
une autre fille en bleu et noir,
d'à peu près la même grandeur mais plus costaude,
le cou et la gorge plus à nu,
cheveux blonds caramélés,
courts et *somehow* gonflés sur les côtés. 18 : 23

19 : 28 Arrivées au podium,
la meneuse lève le pied pour embarquer,
mais manque son coup,
le relève,
manque son coup à nouveau ;
moi, qui m'étais déjà tassé un peu à droite,
je me penche vers elle,
lui tends ma main gauche,
elle la saisit,
je l'aide à monter,
elle se retourne,
et aide sa t'chum à monter.
Ça m'était déjà arrivé
que, dansant sur le podium,

une fille vînt et montât danser à mes côtés,
rappelez-vous la fille à la mini-robe grise,
mais là, nous étions trois,
et c'est pas grand, ce petit *stage*.
Je me faisais petit,
je me disais que ça va être tout un défi
de danser à trois ici.

Pantoute !

Sitôt sa t'chum montée,
la meneuse s'est retournée,
m'a empoigné m'a poussé,
m'a câlissé en bas carrément,
style fini bien l'agrément,
t'as fait ton temps mon grand,
y'a pas d'défi icitte à soir,
mais que nous qu'on se fait un *fun* noir,
et housse là,
manu militari, comme on dit,
et faut qu'on rie. 20 : 08

20 : 23 C'est en plein ce que je faisais,
déjà en tombant : je riais.
Ben… Qu'essé qu'tu veux qu'un gars fasse ?
Les yeux n'étaient pas méchants,
le geste non plus. Pas vraiment.
Un peu flaillée exagérée, la fille,
un peu capotée,
un peu paquetée,
un peu gelée ?…,

d'ailleurs,
moi sitôt tombé j'm'étais r'mis à danser,
rembarquer dans la musique,
au pied du podium,
quand une main farfouilleuse entreprenante,
qui appartenait à cette fille pas méchante,
me pogna l'épaule, me pogna le bras,

me pogna le cou, me pogna la tête,
un peu tout croche   un peu malaisément,
en partie aussi parce que je ne savais plus trop
comment à la fois suivre la musique
et cette main incertaine,
ce qui fait que tout s'est un peu mêlé,
mais pas longtemps,
je me suis retourné sous cette main insistante
vers la fille flaillée brassant brassante
dont les yeux les gestes   riaient s'excusaient,
et j'ai essayé de la rejoindre.   20 : 44

21 : 03 Essayé,   je dis bien.
J'ai levé la main droite   paume offerte,
vers la sienne gauche,
pour essayer de faire la rencontre des cinq doigts,
si je peux dire ça comme ça,
ou l'alliance des bouts de doigts,
mais ça n'a pas pogné pantoute ;
on s'est ramassés vite fait
qu'elle a glissé ses doigts entre les miens,
me pognant la main en crochet.
On se l'est fait aller, cette main,
un souin par-ci un souin par-là,
mais ça n'allait nulle part,
et on a tâtonné et on a totonné comme ça
un p'tit bout de temps pas longtemps,
avant de se laisser aller finalement
en nos danses respectives,
elle sur le podium   et moi au pied dudit.

Pas bien longtemps après,
elle et sa t'chum ont débarqué.

Pas bien longtemps après,
j'y suis remonté.

Pas bien longtemps après,
elle est revenue.   21 : 17

Lundi
89-07-24

17 : 00 Elle s'en venait d'un pas alerte,
fendant la foule,
souriante et les yeux pétillants,
a atteint le podium,
je me suis penché lui tendre la main,
l'aider à monter,
et elle fut vraiment toute à moi,
du moins, tout d'elle disait ça,
genre : excuse-moi, vieux, pour tantôt,
là, j'viens juste pour danser avec toé,
sauf qu'elle n'était pas vraiment toute à elle,
ce qui compliqua sérieusement les choses.

Elle dansait dangereusement.

Si on peut appeler ça danser.

Sitôt montée, elle est restée face à moi,
branlant, branlante, *swingnant, swingnante,*
et là, j'ai vraiment essayé de contacter,
de la rejoindre et que nous bougions ensemble,
mais elle reculait autant qu'elle avançait,
et, placée aussi sur le bord qu'elle l'était,
reculer c'était simplement se câlisser en bas,
mais elle ne semblait pas s'en rendre compte,
et plus elle s'excitait,
plus fortement elle se garrochait par en arrière,
et plus le cœur me débattait,
et plus je forçais pour la retenir,
passant ma main mon bras derrière son dos,
essayant, par le geste, et par les yeux,
de lui faire comprendre
qu'elle risquait à tout moment de se rompre le cou,
mais rien n'y faisait,
vraiment, rien n'y faisait,
je ne sais pas à quoi elle carburait,
je l'ai même prise carrément à bras-le-corps,

style amène-toé bébé,   colle-toé su'popa,
tranquillise-toi,   là là là, là là là,
et branle et danse   et branle et danse,
mais on ne s'est pas rejoints,
on ne s'est vraiment pas rejoints ;

c'était bien dommage,
une jeune femme jolie jolie,
et fort vivace
qui s'en alla rejoindre sa t'chum
… et disparurent.   17 : 38

19 : 17 Après,
bien bien bien bien des heures après,
repassant le film,
j'ai trouvé que je n'étais guère dégourdi.

Pas tant en ce qui concerne la danse
que plutôt l'après-danse.

Enfin je me suis dit :
si t'a trouvais jolie
pourquoi après t'es pas parti ?

Ce sont des choses qui se font.
Comme dirait Freddie.

J'aurais pu l'amener causer sur la véranda.
C'est commode parce que sur la véranda,
qui est loin, directement sur le devant,
la musique ne sonne pas aussi fort
qu'en plein en dedans,
ce qui fait que tu peux parler sans crier,
et entendre sans te faire péter les tympans
par quelqu'un qui te crie à tue-tête dans l'oreille
parce que tu lui as dit
« parle plus fort, j'entends pas ».

Donc, sur la véranda,
j'aurais pu dire à mademoiselle Vivace,
que j'aimais bien, c'est bien certain,
son petit visage et son grand entrain,
mais que pour la danse,
là, mademoiselle,
faudrait en parler.

Et bla bla bla bla bla bla bla,
j'aurais pu bodyboder avec elle,
straight là sur la véranda...,
lui montrer comment deux corps s'accordent
ou ne s'accordent pas.

C'est pas si compliqué,
mais nous sommes pleins de paniques,
ai-je souvent remarqué.

Et quand je dis nous,   c'est bien nous,
moi le premier.

Mais si vous compétitionnez le titre,
allez-y, prenez-le.
Si vous êtes plus andouille que moi,
c'est parfait,   ça me rassure.

Mais c'est pas ça, han ?

Vous souriez ?

Vous me trouvez mêlé ?

Bon bon bon,   let's call it a day.   19 : 45

Mardi
89-07-25

19 : 24 Avec tout ça,
je n'ai pas revu ma belle grande Anglaise.

How sad !

Je me disais, en m'en allant au *Lézard,*
que ce serait miracle si je la revoyais
un deuxième vendredi de suite.

Et je me disais aussi
vous savez comment on se parle dans sa tête,
quand on s'en va seul dans la rue,
faut bien s'occuper les neurones…,
je me disais donc
que si le miracle se produisait,
je sauterais dessus.
Pas le miracle, la grande Anglaise.
Et vous savez comment on est bon
quand on est tout seul à se parler dans sa tête.
Donc j'étais bon en sautant sur elle,
ah ! superbe.

Mais elle ne s'est pas pointée. 19 : 34

19 : 51 Comme j'ai été un peu occupé,
ça ne m'a guère dérangé.

Reste qu'au total, je ne me trouve guère avancé.

J'arrive vraiment pas
à m'accorder avec une femme.

On a beau vouloir garder un ton optimiste,
regarder les petites flammèches qui se font
en se disant « au moins y's'passe de quoi »,
mais quand tout cela s'est éteint
que reste-t-il au fond *but* un certain chagrin.

Et c'est curieux parce que
je me repasse le film du *Lézard,* ce soir-là,
et à part l'épisode « mademoiselle Vivace »,
je ne me souviens plus de grand-chose.
À part cette amazone aux seins léopardés,
  nue sus, nue sous,
à grande chevelure blond-cendré bouclée vaguée,
qui dansait collée collée
avec son t'chum, une espèce de grand boucanier,
la couette chignonée à l'occipital
qui m'aurait certainement envoyé à l'hôpital
si je lui avais dit, si gentiment fût-il,
qu'il avait une couette chignonée à l'occipital.

  Ah ! calvaire qu'on s'amuse.

Mais à part ça,
on dirait que déjà, le film s'est effacé.

Pourtant, il y avait plein d'autres femmes,
et sûrement de fort jolies.
Mais je suis là à vouloir vous les dire,
et rien ne vient. 20 : 20

20 : 25 Ce dont je me souviens bien cependant,
c'est de n'avoir dansé
que sur le seul podium du fond.
C'est celui sur lequel je danse le plus souvent.

Je ne sais pas si je vous l'avais dit,
mais il y a trois podiums autour de la piste.
  Il y en a même eu quatre
  jusqu'à il y a une ou deux semaines,
  soit un sur chacun des côtés
  du rectangle que forme la piste,
  mais on a enlevé dernièrement
  celui qui se trouvait
  sur le petit côté le plus rapproché du bar.
Cette piste donc forme un rectangle

de quelque 3 m 65 x 5 m 50
si mon sens des mesures n'est pas trop déréglé,
dont les grands côtés sont perpendiculaires
aux grands côtés du plus grand rectangle
que forme le *Lézard.*
Et ces grands côtés sont parallèles à la rue Rachel,
les petits donnant façade et arrière.
Si on imagine ce grand rectangle debout,
le bas étant la façade, et le haut l'arrière,
la piste,
elle-même rectangle perpendiculaire à l'autre,
se trouve à trois-quatre mètres de l'arrière,
à gauche, contre le mur longeant Rachel.

Le podium dont je vous parle
occupe justement ce petit côté.
Forcément, il est directement sur la piste,
alors que les deux autres
qui occupent les grands côtés
se trouvent à l'extérieur immédiat de la piste.
Celui qui est sur le grand côté
le plus rapproché de l'arrière
s'aboute à une espèce de petite estrade
dont le plancher est au même niveau
que celui du podium,
mais un peu plus large et un peu plus profond,
et fabriqué de deux passerelles de bois
flanquant un treillis d'acier.
Cela donne donc au total
une espèce de petite scène
qui est bien l'*fun* à danser sur.

Si la plus grande surface de son plancher
est un treillis d'acier,
c'est qu'il y a sous cette estrade
une machine à faire de la fumée,
que c'est bien l'*fun* aussi
quand ça boucane tout blanc,
mais ça ne le fait pas souvent,
depuis quelque temps.

Enfin vous dire
que les plafonds sont noirs,
que les planchers sont noirs,
que les podiums sont noirs,

et ça suffit pour ce soir. 21 : 14

Mercredi
89-07-26

16 : 28 What a splendid day,
tout le monde est écrasé,
il fait chaud à crever.

Trente-six degrés.
À l'ombre.

Je reviens de chez Freddie
qui drommait *Woman* de John Lennon
quand je suis entré,
et qui travaillait en maillot de corps, blanc,
le poil à l'air
et l'air taquin,
Lubréole assise plus loin,
au bout de la table, près de la vitrine,
dans le fauteuil Voltaire capitonné,
et qui lisait bien calmement
A Season In Hell de Jack Higgins.

J'avais pas fait deux pas que la musique se tut,
mais oups !, yan yan-yan…,
Yoko Ono se mit à chanter *Beautiful Boys,*
Freddie se mit à siffler,
sortant de la friteuse sa grille de beignes
et la déposant à sa droite sur l'égouttoir.

Lubréole là-bas ajusta son signet,
ferma son livre, le déposa sur la table,
puis fut toute à moi.
Ah.

Elle portait la même petite robe bleu gris
que la semaine dernière,
à décolleté vertigineux, vous vous rappelez ?,
et les mêmes sandales Okabashi,
  celles à premières à motif de bulles
  et contour spécial,
bleu gris elles aussi,
mais plus foncé.

Je me suis approché de la table,
ai regardé le titre du livre,
Yoko chantait
  “Don’t be afraid to go to hell and back”,
il faisait chaud comme chez le diable,
quel à-propos.

Une fois ses beignes miellés,
Freddie alla à l’arrière
arrêter la musique
alors que Johnny boy se mettait à giguer *Dear Yoko*.

Puis il vint nous rejoindre à l’avant
s’essuyant les mains tranquillement
avec une serviette bleu marine
à rayures blanches et rouges.

Il tira de la table
le fauteuil Voltaire le plus éloigné de la vitrine,
s’y assit,
s’y cala le dos,
s’y appuya la tête,
s’étirant les jambes,   se croisant les chevilles,
et puis disant, satisfait :
— Here, I’m a King.
  Won’t you sit down, sir ?,

m'indiquant à sa droite,
le fauteuil Voltaire restant
qui était juste devant moi d'ailleurs,
légèrement tourné vers Lubréole,
puisqu'elle y avait posé les pieds.

J'étais en train de lire,
sur le revers avant de la pochette,
comment « American socialite Sarah Talbot
had everything going for her... »,
et tout et tout.

Je posai le livre sur la table,
soulevai les pieds de Lubréole de ma main droite,
tirai positionnai le fauteuil de ma gauche,
m'y assis,
posant les pieds de Lubrée sur ma cuisse droite ;
j'étais en short,
Adidas, bleu marine,
avec trois lignes blanches sur les flancs,
et long T-shirt blanc,
sans col, à manches courtes,
avec un beau dessin sur le devant,
une vulve en sa broussaille
les petites lèvres ourlées texturées telles
qu'on aurait dit une framboise en leur centre.

Je leur racontai mon vendredi soir au *Lézard*. 17 : 44

19 : 43 Ils m'ont dit de ne pas lâcher. ...

Jeudi
89-07-27

19 : 35 Je suis retourné chez Freddie cet après-midi.

Moins chaud aujourd'hui.
Le ciel était couvert et, depuis le matin,
un vent de pluie rafraîchissant soufflait.

Je soufflais aussi quand,   entré,
j'allai m'asseoir au bout de la table,
là-même où s'était trouvée Lubréole hier.

Je soufflais et j'orageais,
mais Freddie n'en vit rien,
occupé qu'il était à la cuisson de ses beignes.

C'est même tout joyeux qu'il me dit :
— Pis ? T'es allé danser au *Lézard* hier soir ?

J'ai dit :
— Va chier Freddie.
Sans virgule,   qu'il y coure, esti !

Il a brusquement levé la tête,
a paru figer,   me regardant, hébété,
puis a soudainement repris conscience de ses beignes,
a plongé les baguettes à l'huile,
œuvrant œuvrant,   cessant,
se redressant contre la friteuse,
se mettant à siffler,
siffler siffler,
tout en frottant ses baguettes contre la friteuse.

Puis il m'a testé :
— Comme ça, ça n'a pas dû se bien passer
au *Lézard* hier soir… ?

J'ai dit :
— Mange d'la marde, Freddie.
Avec une virgule,   qu'il s'y accroche, tabarnak !

Oh ! Oh !,
Freddie aime ça,   des situations d'même.

Tu le vois se cabrer,
l'air espiègle   sinon malin,
et tu sens que ça lui roule à cent milles à l'heure
entre les deux oreilles,
mais quel contrôle il a.
Il se remit à siffler,
le menton haut,
tambourine tambourine,
examine ses beignes,
les met en rang,
puis op !,   sort tout ça de l'huile chaude,
et les dépose à sa droite.

Il sifflait un petit air militaire,
  une chanson de marche
  du temps des soldats à mousquets,
les yeux rieurs,
me riant carrément dans'face,
l'esti d'saint sacrament,
puis,   prenant son temps,
il vint s'asseoir à l'avant,
reprenant à peu près le scénario d'hier :
— Here, I'm a King.
  Won't you shit down, sir ?

Je à moitié pouffai de rire
à moitié m'étouffai dans ma noirceur,
qui du rire se colora un brin ;
je mis mon coude gauche sur l'accoudoir à manchette,
et mon poing gauche devant ma bouche,
me frottant les dents d'en haut
contre la jointure du pouce,
et finalement disant :
— Hier soir au *Lézard,*
  j'ai rencontré deux guêpes noires
  et une petite Mireille Mathieu
    troublamment attirante.

C'est tout ce que j'ai à dire.

Freddie bondit dans son fauteuil,
écartant les bras   et puis disant :
— Parfait, mon grand !
   Merveilleux.
Il se leva, continuant :
— Je t'offre une bière ambrée.
Il y alla,   marmonnant :
— Deux guêpes noires et une petite Mireille Mathieu,
   woua-woua-wouâouw !,
   quelle soirée, quelle soirée,
et puis revint,
souriant souriant, oreilles incluses.

Je bus je bus,   mais je ne dis plus.   20 : 35

Vendredi
89-07-28

16 : 18 À vous, c'est pas pareil.

Je suis arrivé au *Lézard,* avant-hier soir,
aux alentours de vingt-trois heures,
comme d'habitude,
et comme d'habitude,
le *Lézard* était à peu près vide.

Il y avait quatre-cinq personnes
autour de la table de billard,
légèrement à gauche, tout de suite en entrant,
peut-être deux au bar, plus loin à droite,
immédiatement passé le cagibi juché du disc-jockey
qui jouxte les toilettes des gars,
  très colorées, bande dessinée,   en dedans,
qui jouxtent elles-mêmes celles des filles,
  très colorées, bande dessinée,   en dedans,
qui jouxtent à leur tour une pièce d'entreposage,

de même dimension,
et je vous ferai remarquer que depuis le cagibi juché
nous revenons vers l'avant,
tout contre le long mur de gauche,
qui est celui de droite quand on entre.
Mais revenons au bar qui, du cagibi juché,
longe ce mur de droite tout à fait jusqu'au fond,
et où ne se trouvaient que deux personnes
et où donc le barman, un gros gars sympathique,
assez sensible, je crois,
pour trouver achalant de se faire appeler gros gars,
mais qui m'a quand même apporté ma bière,
une Black, dévisse la capsule,
la pose là devant moi,
me regarde, l'air interrogateur, me dit :
— C'est bien ça que tu prends d'habitude ?
Moi je suis là à zézitter :
— Eeeee oui oui, ça fait pareil.

Comment comment ?, ça fait pareil,
semble-t-il me dire :
— C'est pas ça que tu m'as demandé ?
J'y dis :
— Non non, j'ai rien dit.
Mais c'est pas grave, je peux la prendre pareil.
Y'm'dit, tentant de revisser la capsule dessus :
— Non non, j'vais t'la changer,
dis-moi c'que tu veux, pas de problème.
Je lui demande :
— As-tu de la Molson Dry ?
Il me dit oui, va en chercher une,
la décapsule, la glisse sur le bar ;
je lui explique que j'ai toujours bu de la Black
jusqu'à date,
mais que vendredi dernier
je lui avais demandé s'il tenait la Molson Dry,
qu'il m'avait dit que oui il en tenait
mais qu'il en manquait,
ce qui fait que j'en n'avais pas pris,
mais que là vu qu'il en avait,

bref,
que j'étais en train de *switcher* de bière.

Il me dit, me rapportant mon change :
— Ouais…, tout le monde *switche* de ce temps-là.

Hé ben.

Et vous ?,
ça vous dit quoi cette petite scène d'intro ?

Vous croyez qu'un gars qui n'est même pas capable
de commander sa bière comme du monde
va tomber les dames l'une après l'autre ? 17 : 30

17 : 35 Han han han, *anyway,*
j'ai pris ma Dry
et je suis allé me promener dans le noir du bar.

J'ai remarqué,
tout de suite en passant près de la piste,
qu'ils avaient réinstallé le quatrième podium.

Je ne sais pas si je vous l'avais déjà dit,
mais c'est le seul sur lequel je n'avais dansé.

Aussi sept-huit minutes plus tard,
après quelques roulements dans le noir,
ai-je grimpé dessus.
Comme son vis-à-vis,
il se trouve directement sur la piste.
Mais ici, on a un petit problème pour la tête,
vu qu'il y a au-dessus un faux plafond,
qui fait que je ne pouvais pas me tenir debout.
J'ai donc dansé tout courbé, tout croche,
m'ajustant du *body* à l'espace qu'il y avait là.
J'ai fait une danse et puis je suis débarqué.

Tout près,
au premier accotoir entre la piste et le bar,
  une affaire de fer-angles et de treillis d'acier,
  tout noire tout noire dans le noir,
deux gars et une fille.

J'ai observé aussi
que contrairement à ce que je vous ai déjà dit,
la piste ne fait pas tant 5 m 50 de longueur,
  ou de profondeur, si vous préférez,
que 4 m 55.

Entre la piste et le bar,
on peut compter un bon 3 m.
On y trouve l'accotoir susmentionné
et quelques hauts tabourets,
  piètement chromé et siège en cuirette,
  ou en moleskine,
    comme dans les romans policiers, hou-hou !
Il y a un autre accotoir semblable
quelque 2 m 50 plus loin, vers le fond,
et d'identiques tabourets.

Plus loin vers le fond toujours,
à peu près dans le même axe,
un faux plafond,   allant dans le sens contraire,
et, rivé à ce plafond,
un E.T.,
vous avez bien compris,
un E.T., prononcez Iti,   comme dans le film,
un noir E.T.,
which is an apparel of light
qui lance un jet de lumière blanche,
comme une lame,
pas très épaisse et allant s'élargissant. 18 : 23

19 : 56 Han han han *again,*
je dégourdissais au fond à gauche,
dans le coin nord-est,

j'allais parfois sur la piste,
un gars, une fille,
puis un peu plus et un peu plus,
ça s'animait,   ça se peuplait,
sont arrivées alors,   dans ce coin-là,
les deux guêpes noires.

Je dis guêpes noires
parce qu'elles étaient vêtues de noir
et que l'une d'elle portait même
une guêpière,
et à la taille,
ébouriffée ébouriffante,
ce qui ressemblait bien gros à une crinoline,
disons une jupe façon crinoline,
en tulle noir.
J'ai pas remarqué
si le tulle était à mailles rondes ou polygonales,
tout comme je n'ai pas remarqué
ce qu'elle portait sous.
Un collant noir, ou quoi ?

J'ai pas remarqué
parce que sans doute j'avais les yeux attirés ailleurs
plus haut,
à la hauteur de la poitrine,
où se tenaient en touchante blancheur, ronds,
les mignons nichons,
bien nichés, ça se voyait bien,
dans leurs bonnets préformés et pourvus d'armature.

Et vas-y, Arthur,
j'ai dansé autour, je vous l'assure,
je l'ai frôlée souvent,   j'vous le jure,
on s'est même un peu touchés,
mais on n'a pas accroché.

Sa copine, un peu plus mince, en noir aussi,
avait les seins bandés.

Elle avait les seins bandés
comme on peut avoir les yeux bandés :
couverts d'une bande de tissu
qu'on attache à l'arrière.

Donc les épaules nues,   le ventre aussi,
et le nombril,
dont je n'ai pas remarqué le détail.

Un pantalon noir,
de longs cheveux brun noir,
un grand nez
qui ne dérangeait pas sa beauté.
Elle,   je l'avais déjà vue avant, au *Lézard,*
hautement vêtue, si je peux dire,
enfin..., altière allure,
en noir aussi,
mais portant alors un chapeau en peau tigrée
qui tenait de la toque et du tambourin,
quelque chose de bien,
et de peut-être un peu ancien,
mais qui lui donnait du chien,
du moins c'est ce que je trouvais.

J'ai dansé aussi dans ses environs,
et ce fut ça qui fut ça :
une question d'environs.

Puis, dansant dansant,
je me trouvai dans les environs
de la petite Mireille Mathieu troublamment attirante.
Je dis Mireille Mathieu, c'est un peu vrai,
mais je dirais Louise Brooks
que je brûlerais davantage,
mais vous ?

Enfin...
Question de coiffure, donc.
Assez semblable à une coiffure à la mode
que je vous ai déjà décrite.

Mais au lieu de couper carré,
on commence à couper assez haut à l'arrière,
assez court, puis on allonge jusqu'à mi-tête,
puis on raccourcit en dégradé uni jusqu'à la nuque,
ça fait très joli ;
les côtés présentent une coupe carrée
achevant devant l'oreille
en patte dont l'extrémité courbe sur la joue.
Ça aussi c'est mignon.
Avec frange carrée sur le front,
ça fait un peu petite fille.
Enfin…,
elle dansait très mécanique, très robotique,
mais délicatement ;
on s'est souvent environnés,
j'ai même une fois porté mon pouce mon index,
en pince, à sa nuque,
mais je ne l'ai pas touchée, juste effleurée ;
elle portait un T-shirt mauve,
un bermuda-jean bleu pâle
et des tennis blancs.

Elle avait l'air bon enfant.

Quelque part vers la fin,
elle était assise sur le podium
du grand côté vers l'avant,
seule,
regardant vers la piste
où, seul parmi les autres,
je suais,
je dansais, je dansais,
et je suais,

et je la regardais aussi.

Puis je me suis perdu.

Et les peintres ont tout barbouillé
de ce qui avait commencé « danse & transe »
avec l'homme gris bien dessiné.

Oh !
Vous avais-je dit
qu'au *Lézard* tous les mercredis
une bande d'artistes peintres
peignaient improvisaient
une immense murale du plancher au plafond
sur le mur au-delà de la table de billard ?

Intéressant. 21 : 12

2e MOUVEMENT

I was no king but I had the swing

Samedi
89-07-29

10 : 42 Hier soir au *Lézard,*
la mariée était en blanc.

J'y suis arrivé vers vingt-trois heures.
Il y a un peu plus de monde, déjà à cette heure,
le vendredi soir.

Le barman au bar m'a dit :
— Une Black ?

J'ai dit :
— Non non. Une Molson Dry.

Il m'a servi.
J'ai payé.

J'ai laissé la bière là
et je suis allé danser.

On avait enlevé deux podiums,
ceux des petits côtés.
Il y avait trois personnes qui dansaient :
la mariée, son mari,
et une jeune femme grande et mince,
chevelure brun roux, coupe moderne,
l'arrière comme celle décrite hier,

mais le reste aussi moderne,
pas de frange, pas de patte,
du bouclage cependant il me semble...,
qui portait un pantalon de toile couleur sable
et un chemisier vert Queen Ann. 11 : 06

18 : 19 Je dis la mariée était en blanc,
c'est une manière de parler.
La femme, grande,
portait robe blanche et souliers blancs,
qu'on eût dit une mariée.

Sa robe, petit décolleté en U,
manches courtes ou longues, je ne me souviens plus,
présentait à la taille une espèce d'empiècement,
un peu comme un paréo court,
pincé à l'arrière,
et tombant comme un genre de queue à plis
un peu plus bas que la robe
qui tombait quelques centimètres en bas des genoux.

Moi, pour dire simplement,
j'appelle ça une robe à deux étages.

Le marié, un grand nez,
un gars grand, mince, les cheveux longs,
portait une chemise blanche, façon boucanier.

Ils ont beaucoup dansé.

Je me suis retrouvé à quelques reprises
dans les parages de la mariée.
... Me semble que les manches de sa robe
étaient longues...
Elle dansait bien.
Elle déployait bien.
Elle s'étirait bien.
Elle ondulait bien.
Elle déhanchait bien.

Je l'aurais bien touchée,
mais...,
toucheriez-vous une mariée ?

J'ai même pensé demander au mari
si je pouvais toucher sa femme.

Si si, je suis sérieux.

Évidemment, je ne l'ai pas fait.

Diable !,
des fois qu'en dansant-touchant avec sa femme
je lui aurais pogné un sein !
C'est ça qui est embêtant
avec la Danse de Vérité : — excusez les majuscules —
quand tu embarques là-dedans
tu ne sais absolument pas
quels gestes tu vas poser.
Tu ignores tout à fait
jusqu'où tu vas accorder.
Tu peux décrocher dix secondes après avoir touché,
sans savoir pourquoi,
juste parce que ça se passe de même.
Tu peux par contre aller creux.
La fille peut lever sa robe et te présenter sa vulve,
dret là, innocemment innocemment,
comme ne s'en rendant pas compte elle-même,
et qu'est-ce que tu fais avec ça, mon grand,
au beau milieu de la piste de danse,
avec le mari pas loin qui s'étire le cou
et qui développe de sombres envies de briser le tien ?

Enfin...

Hier soir au *Lézard,* la mariée était en blanc.

J'ai fermé le club, comme on dit,
et quand je suis sorti de là, vers 3 h 30,
moi aussi j'étais blanc. 19 : 01

Dimanche
89-07-30

20 : 07 Lubréole vient de partir.

Elle était arrivée vers seize heures trente,
revenant de Beauce,
où elle avait passé ses derniers jours de vacances.

Je nous ai fait pour souper une chaudronnée de soupe.
Pas très indiqué peut-être pour un soir d'été,
mais à 26°C, c'est pas si chaud,
et c'était la soupe
ou des œufs et du jambon frits
avec une petite tomate, un petit concombre,
et des rôties.
Elle a préféré la soupe.
Je la fis simplement
à partir d'un bouillon de jambon
  que j'avais fait cuire la semaine dernière,
auquel j'ai ajouté du jus de tomate,
4 branches de céleri et 2 oignons coupés en dés,
225 g de pâtes,
  des petites roues de charrette
  et des macaronis courts,
  mignonnes, les petites roues…,
poivre noir, 32 mailles,
  basilic, origan et estragon, un soupçon.
Cela nous fit deux bols chacun d'une soupe épaisse.
Comme je l'aime.

Lubréole a bien aimé aussi.
M'a même demandé la recette.
  Je la lui ai écrite sur un petit papier jaune.
Elle m'a dit :
— Tu ne lui donnes pas de nom ?
J'ai dit :
— *Come on,* t'es pas sérieuse ?
Elle a dit :
— Mais si. Faut lui donner un nom à ta soupe.
J'ai dit :

— C'est pas ma soupe.
Du moins pas entièrement.
Elle vient en bonne partie
d'une de mes anciennes blondes
qui la tenait elle-même de sa mère,
du moins pour l'essentiel.
Elle insista :
— Oui, mais c'est toi qui l'as fignolée.
Je soupirai.
Elle a la tête dure quand elle s'y met, Lubréole.
Je soupirais encore qu'elle disait :
— Allez allez,
me tendant le papier.
J'y inscrivis :
Soupe au bouillon de jambon « Mon petit Gasp ».
Elle lut et leva bien haut le sourcil gauche.
Je dis, indiquant le bout de papier :
— Si ça ne fait pas ton affaire,
tu le roules et tu le fourres dans ton petit trou.
Elle prit son trou.
Puis éclata de rire.
Après quoi elle s'attaqua à sa deuxième bolée,
l'air taquine.

Après un petit moment, elle dit, pensive :
— Y'a un petit goût là-dedans
que je n'arrive pas à identifier,
et ça m'achale.
Je dis :
— C'est sans doute l'estragon.
Elle dit :
— Non non non.
Je dis :
— C'est peut-être le jambon ?
Elle dit :
— Non non,
et puis mangea encore,
une cuillerée, une autre,
ruminant presque sa soupe,
et puis disant :

— C'est dans le fond du bouillon...,
   c'est c'est..., je ne sais pas comment dire...
Je lui dis :
— Remarque que, lorsque je fais bouillir le jambon,
   je mets dans l'eau de cuisson
   deux bonnes cuillerées de moutarde sèche.
   Ça doit contribuer au goût, c'est comme rien.
Elle parut intéressée une fraction de seconde,
mais pinça les lèvres et agita la tête.
J'ajoutai :
— Je pique aussi dans mon jambon
   avant de le mettre à l'eau,
   quatre ou cinq clous de girofle.
Elle claqua des doigts !
Elle bondit presque ! :
— Du clou de girofle ! C'est ça.
   Mon Dieu.
   Ma mère en mettait
   quand elle faisait cuire un jambon.
   C'est si loin.

And on and on,
elle me parla un peu de son enfance,
puis finit par conclure :
— C'est pas écrit sur le papier ça,
   qu'il y a du clou de girofle dans le jambon...,
si bien que je dus inscrire en plus
comment aussi faire cuire le jambon en question.

Et lalalalala, le temps passa. 21 : 51

Lundi
89-07-31

17 : 36 Elle était belle, Lubréole,
et *cutement* attifée.
Enfin..., joliment habillée.
L'attifage vient de la casquette de baseball
   noire, agrémentée de petits dessins fins blancs,
qu'elle portait la palette bandée.

Elle est revenue aux cheveux courts
au début de l'été,
choisissant une coupe
  qui lui dégage complètement la nuque,
par ailleurs légèrement ébouriffée
où longueurs et volumes
sont ramenés vers l'avant
tombant sur le front en une frange de mèches
aux extrémités bouclées vers la gauche,
  du côté gauche,
vers la droite, du côté droit,
et se terminant devant l'oreille
par une petite patte,   une petite pointe,
courbant légèrement sur la joue.

Elle portait un pull blanc
  à encolure carrée modeste,
  à manches courtes et à épaulettes,
qui présentait sur le devant un intéressant imprimé :
  un treillis gris, stylisé,
  qui, des épaules,
  descendait vers le centre en s'amenuisant,
  et stoppait à mi-hauteur ;
  puis, du centre toujours, mais de la taille,
  montait, courbante, une grise tige,
  qui dégageait à mi-course une seule feuille verte,
  et qui aboutissait à une grosse rose rouge
  qui donnait contre le treillis,   à gauche,
  sa gauche à elle.

Avec ça, un short noir qui avait de la gueule.
  Taille élastique et sous cela,
  de multiples pinces.
  Puis deux grosses poches plaquées s'évasant en bas,
  à simulés rabats qui avaient ceci d'intéressant
  qu'ils étaient faits chacun de deux pièces
  légèrement inclinées vers le centre
  et décorées là d'un gros bouton noir à quatre trous.
Han ?
C'est pas de la gueule, ça ?

En tout cas, les cuisses bronzées qui sortaient de là
en avaient de la gueule.

De là à se demander
s'il y a des gueules qui ont de la cuisse,
évidemment...

Enfin...

J'achevais ma soupe,
ça faisait presque deux heures, tout compté,
que Lubréole était devant ma face
quand je quittai la table brusquement,
allai dans la pièce double avant,
  tournant à droite immédiatement,
à mon garde-robe, près de la tête de mon lit double,
  s'cusez, on dit *ma* garde-robe,
y prendre mon pull à vulve framboisée,
le poser sur le lit,
enlever la chemise de toilette Pierre Cardin
que je portais sportivement,
  col déboutonné et manches retroussées,
  ... jaune pâle, la chemise,
  et elle me venait de mon frère aîné, la chemise,
  je spécifie parce qu'étant sur le BS,
  gnan gnan gnan gnan gnan gnan gnan, on sait bien,
bref,
enlève ma chemise, passe le pull,
reviens dans la cuisine,
et m'assois sur ma petite chaise le dos bien droit,
faisant à Lubréole un beau grand sourire de bouffon.

Faut dire que j'ai une toute petite table,
qui fait tout juste 53 x 81 cm,
si bien que
si je souffle sur ma soupe pour la refroidir
je refroidis quasiment en même temps celle de Lubrée.

Je n'ai aussi que deux modestes chaises,
dans le genre des années 50, comme je dis,

en tubulure chromée,
siège et dossier court recouverts de cuirette,
turquoise
avec des dessins bleus de fleurs et de feuilles
et du vert jaunâtre *splashé* dans tout ça.
Vous voyez le genre ?

Lubréole, intriguée, termina d'abord sa soupe. 19 : 24

Mardi
89-08-01

17 : 32 Puis elle s'essuya le bec,
avec l'essuie-tout de papier posé là,
et demanda, sur un ton un peu sec :
— What's the message ?

Je dis, écartant les mains :
— Ça vient de me frapper,
et je me tus.

Elle dit :
— J'haïs ça quand tu fais le brumeux d'même.
Dis donc clairement c'que t'as à dire,
d'une traite, sans frisotter.

Je fonds un peu quand Lubrée me parle sec de même.
Aussi, me connaissant, j'ai dû toussoter un peu,
et me gratter nerveusement la rosette arrière,
avant de répondre, un peu gauchement :
— Ben..., je trouve que sur ton pull et le mien,
y'a pour ainsi dire le même message.
... Ça vient de me frapper,
j'trouve ça intéressant...,
ian ian ian ian, je sifflotai pas, mais tout juste.

Elle parut découragée.
Elle s'appuya le coude droit sur la table,
puis le menton dans la main du coude.
Elle me regarda sympathiquement

et me dit :
— Tu es complètement obsédé,
faudrait te faire soigner.

Je gigotai :
— C'est pas de l'obsession.
C'est vrai.
Regarde.
Moi j'ai un peu de broussaille,
toi t'as un peu de treillis,
puis j'ai la vulve framboisée
et tu as la rose,
un magnifique symbole de vulve, s'il en est un,
avec tous ces pétales, tous ces plis,
avoue.
Reconnais que ces images sont sœurs.
Que nos deux pulls disent à peu près la même chose.
Ou font la même chose :
rendent hommage au fruit défendu.
Chez moi, c'est cru,
artistiquement traité cependant,
et chez toi c'est..., c'est...,
c'est eeeee, disons : un peu brumeux, peut-être ?
Et je souris.

Elle sourit aussi,
un grand grand grand sourire,
mais les lèvres pincées, vous savez ?

Puis elle souffla,
la bouche en O et les joues creusées,
et j'aurais quasiment pu croire
que mes jours étaient comptés.

Mais elle dit simplement :
— Je vais t'hommager un œil, moi, mon grand,
puis elle se leva,
prit son bol à soupe vide qu'elle posa à sa droite
sur le grand rond de la cuisinière
— ma petite table est placée légèrement en biais

avec le coin droit de ma blanche cuisinière
à surface de cuisson chromée,
après quoi elle se redressa,
recula, reculant sa chaise,
leva le pied gauche vers l'arrière,
étira la main et enleva sa godasse,
fit la même chose à droite,
elle allait pieds nus en ses Reebok blancs fatigués,
puis elle enleva son short,
puis elle enleva sa petite culotte, blanche,
puis elle approcha la chaise,
puis elle grimpa sur la table,
s'y installant en petit bonhomme
— ou en petite bonnefemme,
en tout cas,
elle avait quasiment la noune dans mon bol à soupe,
mais là n'était pas la question,
car elle me dit, s'ouvrant largement les genoux :
— Et ça ?
C'est une framboise ou c'est une rose ?

Je pouffais de rire.
Je tuf-tuffais.
Mes yeux regardaient tout partout.
Regardaient…,
ils papillonnaient, ils fusaient dans toutes les directions,
et je devais avoir la langue pendue,
quand finalement je me mis à siffloter,
puis à pianoter sur la table de la main droite,
puis oups !, penchant le cou,
je regardai dans le trou,
soufflant soufflant, soufflant soufflant,
et me calmant.

Elle a une toison dense et noire, Lubréole,
mais rasée d'une telle manière sur le pubis,
qu'elle descend en ligne droite d'une certaine largeur
un peu comme une coupe d'Iroquois.
De là à penser que nous avons ici
une sauvage de la vulve

qui va te brasser le tomahawk, mon garçon,
le pas est mince, évidemment ;
mais là n'est pas le propos.

Toujours est-il que
placée comme elle l'était
et bâtie comme elle l'est,
le fruit un peu blotti dans le poil,
l'œuvre était trop ombragée
pour que je puisse dire
s'il s'agissait d'une framboise ou d'une rose.

Je ne me serais pas vu non plus
aller chercher ma lampe de poche,
bien que l'idée m'effleurât l'esprit.

Mais, faut que je vous dise. 19 : 03

Mercredi
89-08-02

12 : 58 Ce n'était pas la première fois
que Lubréole s'ouvrait les jambes pour moi,
si je peux m'exprimer ainsi.

Nous avons déjà fait l'amour ensemble,
une fois,
il y a de cela quelques années.

Moi, ça devait faire un an
que je n'avais pas touché une femme ;
elle, elle était en cassure
d'avec son t'chum d'alors.

Mais ça n'a pas très bien marché.

Cela avait bien commencé cependant,
debout dans le salon,
y'avait comme de l'électricité dans l'air,

ça vibrait entre nous une affaire effrayante,
qu'on s'est pour ainsi dire sautés dessus,
et embrasse embrasse,
embrasse embrasse,   mord mord,
mange mange,   mange les oreilles,
et lèche et mordille,
et rentre les dents dans le cou,
et pogne le *body,* et agite le *body,*
et griffe presque le *body,*
embrasse, embrasse,   embrasse embrasse…,
moi, je dois vous dire,
je suis un homme à vulve.
Je fonce là-dessus à bouche éperdue.

Y'en a pour qui ce sont les seins d'abord.
D'autres, c'est le fourrage.
  C'est tout de suite « elle j'la fourr'rais »,
  et c'est le pic dressé, l'écartèlement,
  et op là !, j'te perce,   j't'enfonce,
  j'te fourre, ma salope !,
  et in and out, et in and out,   souing souing,
  fonce fonce,   op op,
  un vrai d'*jack,*
  j'te crinque au ciel, ma belle,
  how swell !
J'ai rien contre ça.
J'ai rien contre rien.
Mais je marche comme je marche,
comme je vous le disais,
et aussi donc, ce soir-là avec Lubréole,
à chauffer comme nous chauffions,
ça ne prit guère de temps
que nous fûmes nus l'un à l'autre,
et que, vu mon penchant,
je plongeai vers son entrejambes la bouche la première.

Mais voici :
arrivé à deux-trois centimètres du lieu saint,
mon nez pogne une odeur
qui me fourre les *breaks* ben sec,

si vous me passez l'expression.
J'arrête sec, donc,
sniffe encore un peu discrètement, mine de rien,
et là, je dévie à gauche,
je mamoure la cuisse,
puis l'intérieur de la cuisse,
puis le dessous de la cuisse,
puis l'autre cuisse,
mais je taponais, c'est bien évident,
je niaisais avec le *puck,*
pour ne pas dire avec le *fuck,*
c'était tout aussi évident,
tout comme il m'était évident à moi
que je n'allais pas manger cette vulve
parce que son odeur m'en interdisait l'accès.

But then.
Do you say such a thing to a lady ?
Do you tell her :
j'te mange pas la vulve
parce que je n'en aime pas l'odeur ;
non seulement je n'en aime pas l'odeur,
mais je peux pas m'approcher le nez à moins de 2 cm.

En tout cas, moi j'ai rien dit.

C'est sûr que mon agissement même
disait tout.
But then again,
elle-même n'en dit mot,
quoique je sentisse chez elle un certain malaise.
Enfin..., toujours est-il
qu'après ce charabia dans le bas des jambes,
je me suis retourné
et je l'ai montée,   comme on dit.

Comme ça faisait un an
que je n'avais pas touché une femme,
elle n'a pas connu le *kick* de sa vie ce soir-là,
c'est bien certain.

Enfin.

J'ai toujours trouvé curieux depuis
qu'on ne se parlât jamais de l'incident.

Et comme cette pensée me traversait l'esprit,
je le lui dis.

Elle souffla,   puis débarqua de la table.
Elle en fit le tour
et vint s'appuyer le ventre contre mon épaule droite.
Elle me joua dans les cheveux.
Je lui remontai le haut de l'arrière bras
entre les deux jambes.

Elle s'échauffait.
Je bandais dur.

Elle dit :
— J'avais bien perçu chez toi,
  une certaine répugnance,
  et cela m'avait terriblement gênée.
  Très embêtée aussi
  parce que je venais de prendre ma douche.

Je dis :
— On devrait se dire ces choses-là.
  Au fur et à mesure qu'elles se passent.

Elle dit :
— J'te pisserais bien dans l'oreille.

Je dis :
— C'est pas méchant comme idée,
  mais si tu pouvais me pisser dans le dos plutôt,
  je semble développer une poussée de boutons
  depuis que je sue beaucoup au *Lézard*.

Faudrait que tu fonctionnes par petits jets d'eau,
puis que tu me frictionnes avec ta vulve,
t'en servant un peu comme d'une éponge.
Tu vois le travail ?
Tu penses que tu pourrais faire ça ?

Elle dit :
— On peut toujours essayer.

C'est ce que nous fîmes,
un peu à l'étroit dans mon petit bain de 122 cm,
mais elle se débrouilla bien,

après quoi elle s'en alla. 14 : 40

15 : 00 Oh !
Je l'ai bien laissée aussi
me pisser un peu dans l'oreille droite.
Après tout, c'était son idée.
Pas de mal à ça. 15 : 02

15 : 30 Même qu'elle rigolait.

Beau mot en l'occurrence, admettez. 15 : 31

20 : 12 By the way,
il y a un *party* ce soir au *Lézard.*
Je crois qu'ils ont intitulé ça :
« Les Arabes et les autres »,
mais je ne suis pas sûr d'avoir bien compris.

Anyway, je pense que je vais m'habiller en kaki.
... Colonel Kadhafi,
you see ?
Ha ! Ha ! Ha !,
juste au cas.

Bon. Je vous raconterai ça. 20 : 16

Jeudi
89-08-03

19 : 38 Je reviens de chez Lapocalypse.

Journée chaude et humide, aujourd'hui.
Pesant pesant.
On écrasait dans les maisons.

Lapocalypse et moi avons pris une bière
assis sur le balcon,
côte à côte, les pieds dans l'escalier.

Il portait son bermuda élégant kaki-beigé,
et son pull rayé de chez Dozier, noir et blanc,
dont j'aime bien l'encolure côtelée ras du cou
qui fait comme un collier plat, blanc.
Dans les pieds, ses chaussures sport Giorgione,
à semelles monobloc flexibles,
de teinte glace,
et des chaussettes rayées noir et blanc.

Il portait aussi sur le nez
ses lunettes triangulaires la pointe en l'air.

Moi, j'avais mon jean quotidien, mi-usé,
une chemise de toilette bleue
que je portais sportivement,
oui oui, les manches retroussées,
oui oui, elle aussi me vient de mon frère.
Dans les pieds, mes Wallabees gris,
achetés en super solde chez Eaton,
modèle ancien et grande pointure,

et des chaussettes blanches,
  le genre tube, à 2,97 $ les trois paires.

Alors que dans les maisons on écrasait littéralement,
on était bien sur le perron.
Il y avait un petit vent
qui remuait de temps en temps, assez constant,
et qui avait de la fraîcheur dedans.

Un petit vent qui sentait un peu la pluie.

Le ciel d'ailleurs s'opacifiait tranquillement.
Comme un voile blanc   s'épaississant,
grisant un peu.

Je ne sais pas comment dire
le bruit des autos qui passaient dans la rue.
Fréquentes.
C'est un glissement sonore
que je n'arrive pas à qualifier.
Pas grave.
Des autos passaient, bruyant leur bruit.

Oramus,
le vieil érable argenté au pied de l'escalier,
s'est fait arranger le houppier,
quelque part au début de l'été.
Mais c'est la première fois que je remarquais
qu'il avait perdu ses basses branches.
Moi, j'aimais bien, ces basses branches.
C'était comme des mèches dans le cou.
Ça lui donnait un genre.

Lapocalypse m'a demandé comment ça avait été
hier soir au *Lézard*.

  Oh !, il n'y avait pas de *party* hier au *Lézard*.
  Pas d'affaires d'Arabs and the Jews.

Ou, s'il y a eu un *party,* ce fut très subliminal,
car je n'ai rien perçu.

Mais j'ai bien cru en entrant qu'il y en aurait un,
car il y avait un élément nouveau dans la décoration,
qui faisait précisément « jour de fête ».
Il y avait plein de babioles
qui pendaient du plafond.
Les babioles en question
étaient des couvercles de verres à café
en plastique translucide
fixés l'un au-dessus de l'autre en nombre varié
à une petite ficelle jaune
attachée au plafond.

Cette petite forêt de couvercles légèrement agités
se trouvait dans le chemin, en quelque sorte,
d'un certain nombre de projecteurs de couleurs,
ce qui créait du coup
une petite féerie plafonnière pas bête du tout.

Au fait, je vous ai déjà dit
que murs et plafonds au *Lézard* sont noirs,
ce qui est bien vrai,
mais il y a plein de tuyaux blancs, au plafond.
Vous savez, ces tuyaux flexibles
qu'on utilise pour évacuer l'air chaud des sécheuses ?
Eh bien ! il y en a plein,
qui serpentent, se croisent, se chevauchent,
allant dans tous les sens,
et parcourus en leur ventre
par des ensembles de lumières de Noël,
vous savez, ces toutes petites lumières-tube ?
Elles sont blanches, dans l'ensemble,
et leur mise à feu, si je puis dire,
contrôlée à distance.
Elles ne sont donc pas toujours allumées.
Mais les serpents blancs s'illuminent
par-ci par-là, de temps en temps.

Light game, my friend,   light game. 21 : 18

Vendredi
89-08-04

10 : 36 J'ai dit à Lapocalypse
qu'il ne s'était absolument rien passé,
hier soir au *Lézard*.

J'ai fait de la mini-scène,
au moins trois danses consécutives,
à peu près tout de suite en partant.
Il n'y avait pas grand-monde dans la place.
Personne sur la piste de danse.
Un gars se promenait
qui ajustait les éclairages.

Plus tard, la piste s'est remplie.
J'ai touché deux-trois fois
Beaublonde Aubeaupetiventràlair,
mais c'était par accident.
On s'est accroché les mains à quelques reprises.

Au total,
j'ai dansé environ quatre heures *non-stop*.

J'ai dit à Lapocalypse
que s'il ne se passait rien vendredi soir,
je demanderais à Lubréole
de venir avec moi mercredi prochain.

Il n'a pas semblé d'accord avec l'idée.

Je l'ai laissé souffler. 10:56

11 : 04 Il a enlevé ses lunettes,
les tenant par la branche droite,
les coudes appuyés sur les cuisses.
Sa bière était à droite, un peu derrière lui,

par terre sur la galerie, en sa bouteille verte,
collée contre la traverse inférieure du garde-corps.

Il a soufflé soufflé,
puis il s'est mis à siffloter.

J'ai dit :
— T'as pas l'air d'accord avec ça ?

Il n'a pas répondu tout de suite.

Il a soufflé davantage,
en venant à s'envoyer le menton par en avant
et à se rentrer l'occipital dans la nuque.

Puis il a dit :
— Je suis d'accord avec l'idée
qu'un homme fasse ce qu'il veut.

Ouf !
Je me suis senti mieux.

Il a dit :
— Quand tu danses et que tu veux toucher une femme,
le fais-tu ?

Le sacrament !

J'ai soufflé long. 11 : 14

16 : 54 Gnan gnan gnan gnan,
you could call me Mr Gnan gnan gnan gnan, right ?

A night has passed away,
et il a mouillé sur tout ça.

À un moment donné, tu ne penses plus,
tu laisses agir.

Il fait chaud aujourd'hui,
humide humide humide humide,
le linge te colle après,
t'écrases,
t'as le goût de rien,
just a long drink.

Et vingt ans après,
Jean Barbe se demande encore parfois
pourquoi il a colorié le jet d'eau
en jaune plutôt qu'en bleu.

Come on, Jean, *come on.* 17 : 09

Samedi
89-08-05

14 : 12 Hier soir au *Lézard,*
j'ai dansé jusqu'au *last call,*
et même a little over
far away in the corner.

J'ai fait ce little over
parce que j'ai été carburé
par un Pernod bien frappé
qui m'a été donné
par un gars ensoleillé
qui était aussi pas mal paqueté.

C'est un peu curieux parce que
ce Pernod bien frappé dans un verre bien rempli,
je pourrais le considérer comme un *long drink* ;

et ce qui ajoute au curieux
c'est qu'un Pernod, c'est jaune.

Mais il n'y a pourtant absolument aucun rapport.
Enfin...

Toujours fut-il
qu'après the calling of the last call,
j'ai débarqué de la piste,
trempé de ma sueur,   tant tant si tant
que j'aurais pu tordre mon pull
et obtenir peut-être du jus de framboise,
ou de vulve...,
ce qui vous dit bien le pull que je portais,
dont je n'étais débarqué que deux fois auparavant,
genre aller-retour,
au lavabo me rafraîchir et boire de l'eau,
puis *back* au boulot,
et je me suis dirigé vers l'avant,
en biaisant à gauche
passer par les toilettes,
au lavabo me rafraîchir et boire de l'eau,
puis sortir, tourner à gauche,
longer petit corridor,
cloison percée à droite
donnant sur l'espace de la table de billard,
me rendre à la véranda,
vitrée du plafond au plancher.

C'est pas très grand, la véranda.
C'est comme un balcon fermé
donnant sur Saint-Denis,
le coin Rachel à droite.

Devant ces fenêtres,
sur toute la largeur de la façade,
une tablette de service, à hauteur du coude,
en fer-angles et treillis d'acier.
De cette tablette maîtresse

sort ici et là, à trois-quatre reprises,
une espèce de petit quai-tablette,
quelque chose de bref,
comme un havre,   comme une presqu'île,
où s'attroupent quelques gens,
debout,
ou assis sur de hauts tabourets
au piètement chromé.

Comme dans les toilettes,
les murs ici ont subi les hommages des peintres.
Ils ont monté des murs de gros blocs de pierre gris,
joints noirs,
plafond noir,
comme un donjon,
et à gauche au fond,
au cœur du mur de pierre,
un antre noir,
et dans le fond de l'antre,
blotti, stylisé,
un gros dragon gris.

Ou un géant lézard.
Wouaf !

Sur le mur opposé,
là-bas au fond à droite,
c'est différent.
Un peu comme si la véranda,
se poursuivant dans le mur,
donnait sur une espèce de cour de prison,
qui se trouverait tout au bout de la terre,
sur le bord de l'espace,
car au-delà des murs de la cour,
c'est bien cela : l'espace, la voûte céleste.
Y'a encore une échelle dans ce paysage,
et une passerelle.
De quoi s'en sortir.

Cette partie droite de la véranda
est séparée du hall d'admission

par une cloison   pleine sur 1 m 52,
le reste en barreaux pas gros.

Le hall d'admission est tout coloré, murs et plafond,
des mêmes couleurs que la cage de l'escalier,
avec en plus du vert phosphorescent,
et les fameuses grosses roses rouges
que l'on retrouve en bas sur la porte.

Quand, venant justement d'en bas,
tu arrives au bout de l'escalier,
et que tu mets pied dans le hall d'admission,
il y a, à deux-trois pas devant toi,
une cloison noire,
  un tiers pleine, le reste en treillis d'acier,
avec possiblement plein de monde derrière le treillis,
à la base duquel court une tablette de service,
  de l'autre côté, évidemment.

Cette cloison-là va rejoindre à droite
celle mentionnée plus haut,
mais par le biais d'une porte,
  en fer-angles et en treillis d'acier,   noire,
placée en angle, à 45°.

Quand donc, venant d'en bas,
tu arrives au bout de l'escalier,
tu as, à deux-trois pas en biais un peu à droite,
cette porte
qui te donne accès à la véranda.
  Je ne suis pas sûr,
  mais je pense qu'on enlève la porte
  plutôt qu'on ne l'ouvre.

Enfin…,
tout ça pour dire
qu'hier soir après le *calling* du *last call,*
je me suis retrouvé justement
le dos appuyé contre le cadre de cette porte,
à droite,

quand, surgissant de ma droite,
le gars ensoleillé en question apparut,
titubant légèrement,
mais tenant bien son Pernod.

Il s'arrêta à ma gauche, en plein devant l'entrée,
… ou la sortie, si vous préférez.
Il me regarda.
Oh boy ! Je ne sais pas ce qu'il vit,
mais les yeux lui roulaient dans l'huile,
et tu voyais qu'entre ses deux oreilles
ça fonctionnait au ralenti,
et que ça faisait des balounes dans ses neurones.

Mais il se défendait bien,
branlant sur ses jambes,
enlignant la sortie…, l'escalier là-bas,
une lueur de lucidité dans l'œil,
genre « ouais ouais, j'ai mon esti d'*truck* de voyage,
mais la vie est belle et je me sens gaillard »,
il but un coup, d'un Pernod tout neuf,
ayant un peu de misère
à aligner le verre et sa bouche,
puis il me prit la main gauche,
m'y déposa le Pernod
tout en me disant :
— Tiens, mon ami.
Tu boiras ça à ma santé.

Et il s'en est allé. 16 : 11

Dimanche
89-08-06

17 : 39 J'ai à peine hésité, je vous l'avoue,
j'ai pensé sida, j'ai pensé « voyons donc ! »,
j'ai regardé le verre, à peu près plein,
et toute cette glace dedans,
alors qu'il faisait chaud, mais chaud !,
et un Pernod !,

ça faisait bien longtemps que je n'avais bu ça,
… ben coudonc, chose,
j'ai pris une gorgée et puis une autre,
aaaahhh !, froide réglisse,
au plaisir de mes délices,
vas-y mon chrisse,
je suis allé vous gigoter ça
en grand déhanchement du *body,*
far away in the corner ;
c'est bien pour dire
ce qu'une jaune boisson peut vous faire faire.

Enfin…

Le gars ensoleillé,
je l'avais vu plutôt,
sur la piste bondée.
Je dansais au cœur du rectangle
quand je le vis surgir dans mes environs droits,
un gars bronzé,
une chemise hawaïenne où dominait le brun pâle,
déboutonnée jusqu'au nombril,
le poil de poitrail à l'air,
et trois colliers pleins de breloques,
dont certaines, grosses,
que ça faisait quasiment une cloche à vache,
sauf que le gars était plutôt du genre bœuf.

Pas un gros gars, mais un gras gars,
bâti carré, bâti pesant,
et qui dansait comme s'il était au paradis,
déhanchant entièrement du *body,*
les bras roulant à la hauteur des épaules,
un sourire suave collé dans'face.

Voilà pour l'épisode. 18 : 11

18 : 35 Mais ai-je touché femme ?,
peut-être vous demandez-vous ?

Certainement !

Elle s'appelait Lulu
et je la lui aurais mise dans le cul.
Pardon.
Je plaisantais.
Grossièrement, il est vrai.
Ce doit être la chaleur.

N'empêche,   le schéma donnait quasiment ça.
Je veux dire par là
qu'à un moment donné
elle s'est trouvée presque dans mes bras,
le dos tourné,
et nous tortillions vraiment beaucoup,
que ça s'emmanchait presque,
mes bras s'agitaient bien sur les bords d'elle,
chaleur chaleur et plein d'ardeur,
who knows si je l'avais pognée.

Elle n'était pas très grande, 1 m 58,
blonde,   coupe à la mode,
  au carré, 5 cm sous les oreilles,
  mais la nuque dégagée en dégradé ;
elle portait un pull blanc façon débardeur
et une petite jupe gris métallique
  avec de petits dessins noirs imprimés d'sus.

Je ne l'ai pas pognée,
mais j'ai mis la main dans son dos,
carrément,
doucement,
chaud chaud chaud doux et un peu mou,
une seconde, deux secondes, trois secondes,
elle ne se poussait pas,
quatre secondes, oups !, décroche,

mais je ne saurais vous dire
si le décrochement venait de moi ou d'elle.

Je l'ai refait, un peu plus tard,
un peu moins longtemps, je crois,
et rien ne s'est enclenché.

Roule autour roule autour, badine et batifole,
elle était avec sa copine,
et toutes les deux portaient parfois
des verres fumés très très très noirs.

Très tôt, elles disparurent. 19 : 03

19 : 11 Au fait,
le fameux *party* d'Arabes,
c'est mercredi qui vient, le 9 août.
Et ça s'appelle : « Lézarabes et lézautres ».
Now now now now, what's that ?,
peut-être pensez-vous.
Un voyage en Mongolie ?

Come on..., be soft. 19 : 15

Lundi
89-08-07

09 : 30 And this is a new day.

Lundi matin, fait froid, 17°.
Hier pourtant, et encore la nuit dernière,
tout le monde rampait,
écrasé par l'horrible chaleur
et l'accablante humidité.

Temps sombre, gris noir,
on jurerait qu'il va pleuvoir.

Vent fort.
Une poulie qui grinche férocement.
Madame Bonnemaman, là-bas plus loin à gauche,
étend son linge pareil.

Je me promenais dans ma cour, tantôt,
  une petite cour gazonnée, sur le long,
  avec un petit sentier de vieilles dalles grises ;
  à gauche, le garage de gros blocs gris,
    surmonté d'un hangar, papier goudron bourgogne,
  à droite, la clôture du voisin, à hauteur du coude,
    en mailles de broche,
    envahie submergée par la vigne du fier homme.

Je me promenais dans ma cour, tantôt,
du petit escalier gris
à la clôture blanche en planches pointues,
et je trouvais que cette petite cour
ressemblait beaucoup
à la petite cour de prison du *Lézard,*
au fond de la véranda, à droite. 10 : 01

10 : 04 Deux choses les apparentent, quand j'y pense.
D'abord les gros blocs gris du garage
rappellent l'aspect donjon de la véranda,
puis la perspective, en bout de vue,
est semblable.
D'allure et de dimension.

Mais là-bas, la petite cour ouvre sur l'espace noir,
tandis qu'ici,
elle ouvre sur la ruelle, les voisins d'en face,
et le ciel bleu.
Qui est gris noir, ce matin,
mais s'éclaircissant un brin. 10 : 13

19 : 37 The day has gone by,
sans pluie et même du soleil,
mais avec une bonne circulation de nuages
dans l'azur bleu.

Vient le soir et tiens tiens,
c'est donc bien frais.

Évidemment, 19°, c'est loin de 32,
et allez-vous mieux ?

Moi, je ne suis pas sûr.

J'ai pris une bizarre de décision, cet après-midi,
qui me travaille le ventre à l'intérieur.

Je marchais sur Sherbrooke vers l'ouest,
je m'en allais à la bibliothèque
  y lire deux-trois bandes dessinées,
— ça fait une bonne marche, à peu près 20 minutes,
quand j'ai décidé,
  dans le bout du parc Baldwin, je crois,
que je n'allais pas faire mon épicerie, cette semaine,
que j'allais consommer les denrées périssables
  que j'ai en main dans le moment,
puis que j'allais marcher à l'eau
pour un petit bout de temps,
une semaine au maximum.
À l'eau et à la bière, les soirs où j'irai au *Lézard*.

Bizarre.

Je ne sais pas qu'est-ce qui m'a pris.

D'autant plus que comme tous les lundis matin,
j'avais dressé plus tôt ma liste d'épicerie.

C'est en effet, depuis que j'habite ici,
ma première activité de la semaine, ça ;
l'établissement de ma liste de provisions.

Pour ce faire,
je rapaille d'abord les circulaires
des principales chaînes d'alimentation.
Quand je ne les reçois pas
par la distribution de porte à porte,
je cours après.

Quand j'ai tout en main,
je m'installe sur ma petite table de cuisine,
la pile de circulaires à gauche,
le petit papier carré jaune de 9 x 9 cm à droite,
et le crayon dans la main droite.

Je divise d'abord mon petit papier en trois colonnes.
Celle de droite est réservée aux miscellanées.
Excusez-moi.
Ainsi ce matin, dans ma colonne de droite,
j'ai inscrit seulement deux items :
  pain
  poireaux.
Le pain, parce que je l'achète chez *Rachelle-Béry*.
Les poireaux, parce que je les achète
  dans une fruiterie de la rue Mont-Royal,
  probablement la *Fruiterie en ville,*
  ou chez *Val-Mont.*
Dans les deux autres colonnes donc,
inspirée des spéciaux de la semaine,
ma liste, par magasin, de mes possibles emplettes.

IGA	STEINBERG
côtelettes : 1,98/4,37	maïs : 13/99¢
cheddar : 2,19/227 g	raisin R : 99¢/lb
raisin V : 89¢/lb	brocoli : 99¢
laitue fr : 2/79¢	vinaigrette R : 2,49/C
vinaigrette R : 2,29/C	gâteau chif : 99¢
jus Oasis : 1,19/L	biscuits soda : 99¢/450 g
(yogourt : 6/2,99 — 175 g)	œufs : 99¢/dz/C
chou-fleur : 1,39	

PROVIGO
yogourt : 4/1,59 — 175 g
vinaigrette R : 1,99/C
prunes Friar : 99¢/lb
mayonnaise H : 2,99/750 g
jus FBI : 88¢/L
petite vache : 1,37/kg
gâteaux V : 1,75/6's
lait

RICHELIEU
tarte/pommes : 99¢
côtelettes : 1,98/4,37
2,18/4,81
brocoli : 1,09
morue A : 2,79/6,15
croustilles R : 1,29.

MÉTRO
poivron V : 99¢/lb
pommes GS : 99¢/lb
poulet : 1,28/2,82
macaronis c C : 99¢/900 g
miel M : 2,75/750 g

Comme je le laissais entendre plus haut,
je n'achète pas tous ces articles ;
mais comme ils sont tous en spécial,
je pige dedans pour faire mes menus.
Ainsi cette semaine,
n'eût été de ma dramatique décision de cet après-midi,
j'aurais certainement mangé des côtelettes de porc,
avec du brocoli,
et de la morue, avec poireau et céleri,
une recette de Lapocalypse.
J'aurais aussi mangé pour la première fois cette année
du maïs en épi.
Du blé d'Inde, sacrament !
Il arrive.
C'est la première fois qu'il est en spécial.
Et à 13 pour 99¢, c'est vraiment pas cher.
Enfin…, j'en mourrai pas,
la saison du blé d'Inde commence,
y'aura bien d'autres spéciaux.

Je me serais fait aussi une fois ou deux
une salade aux pommes et au cheddar,
et j'aurais mangé du chou-fleur en crudité
avec vinaigrette *Renée's* au concombre et à l'aneth,

un petit truc-recette que je tiens de Lubréole
qui le tenait elle-même de Freddie.

J'aurais j'aurais, je me serais…,
ici et là, dans la liste,
vous aurez remarqué, comme dans le cas des côtelettes,
que j'indique le prix à la livre et au kilo.
C'est que sur les étiquettes dans les présentoirs
aux magasins,
on n'indique souvent le prix qu'au kilo,
ce qui peut être bien embêtant
quand tu cherches des côtelettes à 1,98
et que tu ne vois que des côtelettes à 4,37.

Enfin…

Fuck la bouffe, pour le moment, semble-t-il.
Et encore une chose.

J'ai aussi décidé cet après-midi,
dans le bout de la rue de Lorimier, je crois,
que cette semaine
j'irais aussi danser au *Lézard* mardi soir.

Some week to come, hein ? 21 : 30

Mardi
89-08-08

16 : 23 And so this is the day
of the third dancing.

Je reviens de chez Freddie.

Il fait frais un peu fort, encore aujourd'hui.

La petite place Roy
que Freddie appelle « la place du marché »
parce qu'il y a le *Métro Carrière* sur un coin,
le *Boniprix* sur l'autre, ancien *Jovi,*
et le dépanneur *Beau-soir* sur encore un autre,
l'ancien *Pierre* du coin Saint-Hubert,
sans compter le *lavoir Saint-Louis,* coin sud,
« la place du marché » donc,
qui avait été transformée ces dernières années
en aire de stationnement,
était encore un véritable chantier
où vrombissaient remuaient, géantes mécaniques,
grosse pelle Komatsu et camions-bennes.

On y parachève les creux travaux
du remplacement de l'égout collecteur.
Après ça, ce seront les travaux de reconstruction
du pavage et des trottoirs.
Puis, le printemps et l'été prochains,
les travaux d'aménagement
du mobilier urbain
et de la fontaine-sculpture.
Oui oui, une fontaine-sculpture.
Oh mystery ! What will it be, what will it be ?

Anyway,
on aura donc fait de la petite place du marché
un square public
agréablement aménagé.

Freddie a hâte à ça,
il me le disait encore cet après-midi.

Il me dit aussi
qu'il était pour ça, la bigamie. 17 : 09

17 : 11 ? ? ? ?

Vous avez bien raison de ? ? ? ?,
c'est ce que je fis moi-même,

car Freddie était en train de me parler
du temps qu'il serait supposé faire demain,
quand il sortit du sac all of a sudden
sa petite souris bigamie.

Il me disait :
— Y'é supposé r'faire chaud, à partir de d'main.
Pis je vais te dire une chose,
à c't'heure que t'es bien assis :
je suis pour ça, la bigamie.

J'ai bondi de la voûte des yeux,
j'ai tiqué des sourcils,
j'ai haussé les épaules, et puis j'ai dit :
— Si deux, pourquoi pas trois,
et si trois, pourquoi pas quatre ?

Il a dit :
— Non non non non.
Je te parle de bigamie fermée,
me disant cela comme s'il me révélait un grand secret,
ou quelque nouvelle invention.

Je dis :
— Oh ! Elles ont des bouchons ?

Il dit :
— Niaise pas.
Je te parle sérieusement. 17 : 37

19 : 35 Pendant tout ce temps-là,
il tournicotait ses beignes,
maniant avec dextérité au-dessus de la friteuse
son bol verseur à poignée,
puis dirigeait la friture,
les baguettes agiles.

Je le voyais venir.
Tout le monde sait, dans la gang,

qu'il est bandé sur Lubréole depuis toujours.
Enfin…,
il nourrit en quelque recoin de sa tête
quelque permanent fantasme.

Tout le monde sait,   aussi,
qu'Uredrue est du genre fidèle,
ou « péris !, infidèle ».

Tout le monde sait,   encore,
que Lubréole se fout du bandage à Freddie
comme de l'an quarante   et qu'a'rentrera pas.

Tout le monde sait,   toutefois,
qu'un soir de désœuvrement,
en supposant une conjoncture tout à fait favorable,
  impliquant beaucoup de compassion
  de même qu'un certain découragement
Lubréole pourrait bien laisser Freddie
faire ce qu'il veut avec elle,
« mais pas dans l'cul, mon esti ! »

Et Freddie me parle de bigamie,
enthousiaste,
comme s'il avait été touché par le Saint-Esprit.

— Je pensais à ça, l'autre nuit,
qu'il me dit :
    Je pensais à l'éternel triangle.
    Je pensais à comment, même amoureux d'une femme,
    on a des pulsions pour une autre.

    Je pensais à
    comment on ne se rejoint pas, finalement,
    comment on baisse le volume
    après les premières ardeurs,
    comment on routine et comment diminue l'appétit,
    jusqu'à ce que
    un troisième larron une troisième larronne
    mette le feu,

rallume les ardeurs,
and here again :
l'éternel triangle.
Comment tu *deal* avec ça.

Tu en viens à penser qu'une troisième personne,
c'est peut-être sain.
C'est stimulant.
Un générateur.

Le *fuckant* vient de l'obscurité,
du mensonge,   du tataouinage,
de la peur, de la culpabilité.

Mais si c'est ouvert ?   Si tout est su ?
Si tout est reconnu ?
Si c'est autant pour l'un que pour l'autre ?

Si c'est à chacun son éternel triangle ?
Han ?

Qu'est-ce que ça fait,   deux triangles réunis ?
Han ?

Un losange.

C'est ça, la bigamie fermée :   un losange.

On remplace l'éternel triangle
par le losange éternel.
New way of life.
Made in Quouébec.
À chacune son générateur, à chacun sa génératrice.

Ainsi, je te donne un exemple :
On suppose que Lapocalypse et Lubréole
forment un couple,
même s'ils ne sont pas mariés,
et même s'ils ne vivent conjointement.
Disons que physiquement,

ils se nourrissent l'un de l'autre.
Donc, premier couple.
Deuxième couple :
moi et Uredrue.

À un moment donné, j'éternel-triangulise,
et je choisis Lubréole,
qui, de ce fait, éternel-triangulise aussi.
Ce que voyant, Uredrue en fait autant,
elle éternel-triangulise avec Lapocalypse
qui, de ce fait, éternel-triangulise aussi.
Nous voici quatre bigames.

On sauve deux vies
parce que deux triangles supposent habituellement
six angles, donc six personnes.
Alors que le losange permet le double triangle
avec quatre angles seulement, donc quatre personnes.
Système fermé, finalement, donc sécuritaire,
quand on pense au sida et autres bibittes.

Il exultait.

Je n'ai jamais été fort fort en mathématique,
et en géométrie, j'ai déjà eu un beau zéro.
Aussi je ne pipais mot.

Il souriait béatement,
au-delà de sa friteuse sous hotte grise.
Homme blanc beignant beignant, beignant beignant.

Je soufflais, dans mon fauteuil Voltaire.

Enfin je dis :
— Et la bigamie infinie ?

Il dit :
— Supposons les mêmes personnes.
Sauf qu'au lieu de triper sur Lubréole,
je tripe sur Claire-Émilie,

et qu'Uredrue tripe sur toi
plutôt que sur Lapocalypse.
Mais toi aussi, t'as droit à deux femmes,
donc tu tripes aussi sur Bertha-Bella ;
mais elle aussi,   a droit à deux hommes.
Sur qui tripe-t-elle alors ?
Sur Sbinius Labonté ?
Et Lubréole ?
Vu qu'on tripe pas ensemble,
où prend-elle son deuxième homme ?
Son adjoint au journal, peut-être... ?
Et l'adjoint: la maquettiste ?
Et la maquettiste ?
Et le deuxième homme de Claire-Émilie,
et sa deuxième femme à lui ?
Et la deuxième femme de Lapocalypse,
et son deuxième homme à elle,
qui doit bien avoir une deuxième femme qui...

Je levai la main gauche,
je dis :
— Arrête, arrête.
Il dit :
— C'est ce qu'il faut faire :
arrêter.
Et il eut l'air content.

Cet après-midi j'ai vu Freddie,
et c'est ce qu'il m'a dit.

J'en suis encore un peu abasourdi. 21 : 08

Mercredi
89-08-09

10 : 19 Good morning Qouébécika.
Je vous l'avoue,
je n'ai pas encore beaucoup réfléchi
à la bigamie selon Freddie.

C'est qu'hier soir je suis allé au *Lézard*
où Annette du Ruisseau Joli
a remporté le premier prix
grâce à son interprétation déliro-trépidante
d'*Un oiseau sur la branche.*
Et je vous prie de me croire
que ça piaulait picotait au balcon des mamelons,
hon !,
à un certain moment de la chanson.

Annette du Ruisseau Joli,
un nom à vous pisser dans'face,
vous l'aurez remarqué,
l'a emporté de justesse
sur Daffnée de la Vengeance,
une chanteuse qui a du coffre mais pas d'totons,
et qui était là avec sa coiffeuse.
Même qu'il a fallu
les passer deux fois à l'applaudissomètre.
Enfin...,
c'était,
dans le cadre des Mardis Interdits au *Lézard,*
la première, hier soir,
de l'Empire des Pires Stars,
animée par la très kitsch Mado Lamotte,
un gars bien maquillé bien perruqué
portant une robe fourreau moulante flashmagorante
rose étincelante,
qui lui tenait les d'jos bien hauts par en dessous,
et qui ne manquait ni de mine ni d'hermine.

Vous comprendrez que dans un tel carnaval,
la bigamie selon Freddie, je l'avais loin. 10 : 50

10 : 57 Même qu'à un moment donné
j'ai failli me faire rentrer dans le pénis
par un cul avenant entreprenant
qui portait une petite jupe fourreau gris foncé
et qui fonçait fonçait, je vous prie de me croire.

Ce cul fonçant, ce cul relevé,
ce cul tendu, ce cul bien rond,
il avait des cheveux blonds
et du rouge sur les lèvres
dans un visage rond bien basané.

Elle portait aussi un chemisier blanc
et, par-dessus, un spencer espagnolant
du même gris que la jupe.

Je lui ai souri
  après le presque appui,
d'un peu de côté et d'arrière,
mais qu'était-ce là en ses yeux,
du désarroi ?

Ça va si vite, ça va si vite,
je ne fus pas roi, je ne fus pas roi,

car déjà elle était partie,
sa copine avec. 11 : 16

17 : 48 Il y avait plein d'étoiles,
au plafond noir du *Lézard,* hier soir,
de grandes étoiles jaune citron
à cinq branches, 46 cm d'extension,
qui *kissaient* à bouches pulpeuses
et qui portaient des verres fumés.
Celles au-dessus de la piste de danse,
au fond près du mur,
étaient sérieusement bariolées d'orangé
et tachetées de vert phosphorescent,
de temps en temps.

Il y en avait aussi de plus petites,
  blanches, vaporisées d'orangé,
  10 cm d'extension,
en suite de deux ou trois
pendant du plafond à une fine broche,
un peu partout,
dans le vaste espace du *Lézard.*

Il y eut aussi Beaublonde,
entrevue brièvement deux-trois fois
dans la petite foule de la piste.

J'aime bien Beaublonde.
J'aime bien comment elle danse.
Some sérénité about her.

Elle était tout de noir vêtue, hier soir.
Veste de cuir noir sur pull noir,
petite jupe noire plissée accordéon
sur collant noir en souliers noirs.
Mais tu remarques son visage,
tu la regardes aller, doucement doucement,
et tu te dis alors
qu'il y a plein de couleurs dedans sa belle tête.

Et j'ai failli pleurer.

Deux fois hier au *Lézard,*
au cœur de ma danse,
j'ai failli pleurer.

Fouillez-moé. 18 : 25

18 : 29 N'empêche,
j'ai terminé la nuit sur la petite scène,
au-delà du *last call*

alors que le D.J. se faisait prier
d'en faire tourner encore une autre.

I was no king but I had the swing.

Fouillez-vous. 18 : 32

Jeudi
89-08-10

10 : 43 Ramdam *again.*

Hier soir au *Lézard,*
Hance Iva-Novitch nous a concocté
un petit capotage-maison
qui a quasiment fini comme Absalon.

Dieu merci, Joab n'était pas là.

Hier soir au *Lézard,* c'était,
je ne sais pas si vous vous en rappelez,
« Lézarabes et Lézautres ».

Musik etnik, et tout et tout.
On prend n'importe quoi.

Le noir *Lézard* était en blanc.
Blanche cantonnière à la porte d'entrée,
blanche cantonnière à la mini-scène,
bandeaux blancs là, blanches tentures ici,
petit faux plafond blanc ondulant
à la tête de la murale des peintres,
et tout le tour de la mini-scène,
des rideaux blancs espacés,
installés façon rideaux coulissés,
pognés en haut, pognés en bas,

mais en de longs élans triangulaires étroits,
la pointe en l'air.

Sur ces bandeaux, sur ces tentures,   ici et là,
des lettres arabes, en noir.

Et puis un petit chameau par-ci,
un petit dromadaire par-là.
Oh la la !

On avait même déguisé
les deux fer-angles avant de la mini-scène
en beaux palmiers, faisant l'entrée,
quasiment des vrais, t'aurais juré.

Hance Iva-Novitch donc,
a fait ça vite.
Deux danses et ce fut fait.

Hance Iva-Novitch est un grand gras garçon
portant guêpière et une immense voilette.
... Et un collant noir scintillant, évidemment.

Il avait dans les mains quelque chose de blanc,
en tas ou en boule,
l'équivalent d'un gros bol à café de sperme.
À moins que...

Some capotage-maison *indeed,*
et je ne peux pas vous en dire plus,
faudrait que vous voyiez.

Tout ce que je peux dire,
c'est qu'il *beatait* très très très bien
avec la musique.
— Crème fouettée, pensez-vous ?...,   coquines.

Et que, Dieu merci, Joab n'était pas là.

Mais Beaublonde, si,
et je lui ai presque dit.

C'était avant Hance Iva-Novitch.

Et puis une petite jeune femme qui,
  dans le faciès et dans les élans,
  dans le maintien et dans le comportement,
avait quelque chose de
Mary Tyler Moore et de Patsy Gallant,
how surprenant, combien troublant,
what a strange combinaison
quand c'est justement ça qu'elle portait,
une combinaison,   noire,
et un fichu multicolore au cou.

Elle, exaspéré,
je l'ai pognée comme on pogne une poche de patates,
je me la suis installée sur la hanche droite,
et j'ai dansé avec, mesdames et messieurs,
j'ai dansé avec,
en rond et en sautillant, sacrament,
entre la piste et le bar, au nord et au sud,
et les deux îlots-accotoirs, à l'est et à l'ouest.
Même que le portier s'est un peu inquiété,
je crois.

C'était après Hance Iva-Novitch. 12 : 10

17 : 19 Beaublonde encore hier soir
portait sa veste noire.
Mais entre les pans,
oups !, son petit ventre à l'air, très discrètement,
sous une noire brassière.
Aussi une jupe à pinces, noire et frangée grise
au ras des genoux.
Personne entre nous.
Nous dansions assez près du fond de la piste,

plutôt au centre.
Elle était à ma gauche.
Si près à ma gauche
que ma main quelques fois
accrochait doucement la sienne,
ou jouait dans les plis de sa jupe,
innocemment innocemment,
mine de rien ça mine pareil.

Elle a les cheveux blonds, Beaublonde,
vous l'aurez deviné,
et coupé à la garçon,
à la garçon militaire,
ras ras ras ras, court toupet sec,
et ça lui va très bien.
Une petite bouche bien dessinée,
avec un peu de rouge dessus,
un petit nez étroit d'arête et discret d'ailes,
et des joues creuses,
oh !,
des joues creuses.

Je dansions, donc,   branlions branlions,
nous agitions,
et vague et vague et roule et roule,
j'eus soudain son profil droit devant ma face,
et son oreille tout près,
que je voulus lui dire,
... que je décidai de lui dire,
là dans cette oreille mouvante :
« Je t'aime bien. »
Et danse et danse, et bouge et bouge,
et branle et branle,
avance, recule,
ça me montait lourdement dans les poumons
comme si chaque côte était une haute marche,
et danse et danse, approche de l'oreille,
oups !, elle s'éloigne,
et crinque et crinque,
petits mouvements et grands mouvements,

j'enlignais l'oreille j'enlignais l'oreille,
avance ondule avance ondule,
ça se pognait en moton,
ça me *stâlait* dans le gorgoton,
danse danse, avance avance, mais woups !,
elle a débarqué. 18 : 03

18 : 14 Je n'ai pas ressayé,
c'est trop dur pour le cœur.
Et puis il y eut l'autre.

Cheveux blonds caramélés,
assez longs,
les extrémités bouclées vers l'intérieur,
séchées avec séchoir et brosse ronde.

Deux-trois bracelets au poignet droit,
dont un en or ou simili.

On s'était déjà fait des guidis-guidis.

Plus tôt, en face de la mini-scène,
en effet,
je l'avais vue aller, touchant ici et touchant là,
je m'étais dit « mais r'garde donc ça »,
« c'est pour mon cas »,
et je m'étais arrangé pour être dans son chemin,
et pour lui tendre la main
qui tendait la sienne,
et touche, oups !, frétille, et pogne,
doigts qui s'emmêlent, doigts qui s'accrochent,
bras qui pousse, bras qui tire,
testing testing,
on s'lâche les doigts, mais garde le contact,
fébrile fébrile, on joue du bras,
et puis ma main grimpe sur le sien
comme une bébitte à cinq pattes,
court court monte monte,
musique musique,
cela a duré trente secondes et puis on s'est lâchés.

Pas mal plus tard donc,
je soufflais un peu, à l'extérieur de la piste,
à deux-trois mètres du bar où elle se trouvait
avec possiblement l'homme de sa vie.
  Je n'ai pas enquêté.

Mais voilà que sur le bord de la piste où j'étais,
une grande et large fille se met à danser,
  en robe aluminium et pois blancs sautillant,
que ça suffit pour m'entraîner,
danse danse, dret là,   en dehors de la piste,
et fait des ronds et fait de la vague ;
c'est dans ces moments-là que Bracelet d'Or
a resurgi,   s'approchant s'approchant,
s'approchant s'approchant,
qu'on s'est mis à se tâter,
à se tâter-danser,
et tâte et tâte, et tâte et tâte,
barrage ici et barrage là,
mais coudonc, chose,
c'est là que je l'ai pognée,
comme précité.

Après ça, ç'a bien été.
Enfin..., je dirais quant à moi
qu'on a dansé pas mal tout croche,
mais dans ce tout croche-là, wouôw !, minute,
quelle énergie !,
quels élans !,
quels mouvements !,
wouaff !,
on rampait quasiment sur le plancher,
elle sur le dos, moi par-dessus elle,
et je la traînais, ainsi,
et je comme grimpais sur elle,
m'avançant *deep* entre ses jambes,
et elle cabrait,
d'*jack,*
elle se relevait,
on corps-à-corait, on tournoyait,

elle se rejetait en arrière,   de toute sa vie,
je la pognais *tight* et je la serrais fort,
et tourne et tourne et roule et roule,
danse haut, danse bas,
quels ébats, quels ébats,
on a fait comme ça deux danses entières,
sur deux mètres carrés.

On s'est arrêtés, souriant,
bien calmement.

Elle a pris mon visage en ses mains,
s'étirant à mon oreille   la gauche,
me disant :
— Tu es un superbe danseur,
puis elle m'a embrassé,
sur la joue gauche, et sur la joue droite ;
mais comme je ne savais pas trop
où elle voulait embrasser,
j'ai pogné un de ses baisers sur le bord de la bouche.

Elle avait une petite bouche ferme,
les dents pas loin.

And we went our ways. 19 : 24

22 : 08 Hier soir au *Lézard,*
les peintres n'ont pas barbouillé.

Il y avait une grande pyramide jaune,
  kantée sur la droite,
qui portait le temps, 12 : 01,
  au sommet de l'une de ses faces,
qui portait aussi,   comme un nombril,
  trois noirs téléphones qui ondulaient du cordon,
et qui, en bas, coulait du rouge
de bleus égouts.

Il y avait aussi le fœtus de la licorne,
et bien d'autres choses encore.

Hier soir au *Lézard,*
hier soir au *Lézard.* 22 : 16

3e MOUVEMENT

Je suis tombé dedans quand j’étais grand

Vendredi
89-08-11

11 : 12 Aujourd'hui s'annonce une journée
pour porter des shorts.
— Forme fautive, mes amis. C'est un anglicisme.
On dit *un* short. Non des *courts*. —

Ce n'est qu'hier que j'ai fini
de consommer mes denrées périssables.

C'est donc ce matin que j'ai entrepris mon jeûne.

J'ai trouvé très angoissant, ces derniers jours,
de voir mon réfrigérateur se vider.
C'est presque effrayant, un réfrigérateur vide.
Enfin…

I don't know why I'm doing such a strange thing.

Sooner this morning,
vers 08 : 30,
je suis allé à l'hôpital Notre-Dame
où j'avais rendez-vous en dermatologie.

Je viens de faire deux mois de minocin.
« On » devait regarder ça ce matin.

Le visage, ça va bien.
Suspension de la prescription.

Je leur ai dit que je n'aimais pas mon dos.
Faut que je vous dise.
Je n'avais jamais eu de problème avec mon dos,
à part deux trois boutons, de temps en temps,
dans le haut des épaules,
jusqu'à l'été dernier
alors que Lapocalypse me gagna à faire du jogging.

À l'automne, sainte misère !,
j'avais le dos plein de boutons.
Effrayant !
J'en avais jusqu'aux fesses.
Ben, dans l'cul l'jogging !, han ?,
que je me suis dit.

Ça s'était replacé,
mais ces derniers mois,
à cause de la danse, sans doute,
voilà que le problème a resurgi.

Donc, je leur dis ça ce matin,
que je n'aimais pas mon dos ;
ils me disent :
— Ah !, montrez-nous ça.
J'enlève ma chemise, je me tourne, ils disent :
— Ah ! Ça vous dérange vraiment ?
Je dis :
— Ben oui, j'en ai plein.
Ils disent :
— Ah ! Nous ne voyons
que quelques pustules en voie de disparition.
… Mais nous pouvons vous prescrire un savon.

Eh ben !

Je m'en revenais et je me disais,
repensant à ces pustules en voie de disparition :
— Diable,
l'eau de Lubréole aurait-elle produit un miracle ?

Who knows ? 11 : 49

19 : 15 Et je marche à l'eau.
C'est sans rapport.

Je parle du jeûne.
J'ai fait ça, un jeûne de même,
il y a dix ans. Onze peut-être.
J'ai été sept jours à ne marcher qu'à l'eau.
Je ne sais pas trop non plus
pourquoi j'ai fait ça, à l'époque.
Il me souvient qu'on parlait sans doute
de jeûne thérapeutique,
comme on parlait aussi
de toutes sortes d'autres affaires thérapeutiques.
Mais c'était un jeûne d'un jour,
deux ou trois maximum.
Je ne sais pas pourquoi j'avais fait sept jours.
Je ne vois toujours pas
qu'est-ce que cela a pu m'apporter.
Je me rappelle que j'ai continué à travailler.
À rentrer au bureau tous les jours.
J'ai fait ma semaine.
Sauf les trois dernières heures du vendredi.
À 14 : 00, j'ai demandé à ma patronne, Lubréole,
si je pouvais disposer.
Elle a dit oui.
J'étais réviseur-correcteur.
Elle était coordonnatrice de la rédaction.
Je relevais d'elle.

J'ai donc continué à travailler, disais-je,
et il ne s'est rien passé.
C'est ce que je prétends.

Mais pas Lubréole.
Elle a trouvé effrayant
que je fasse une chose pareille.

Elle tripait sur mes jambes.
Elle disait que j'avais de longues jambes de cowboy,
légèrement arquées,
et que c'est cette petite arcature
qui en faisait tout le charme.
Or, prétend-elle, après le jeûne, puifff !,
disparue l'arcature,
elle n'en revenait pas.
Elle se fâcha noir.
Me blâma, me fit reproches.
Je fus abasourdi par une telle sortie.
D'abord,
je ne savais même pas que j'avais une arcature,
encore moins qu'elle pût être tripante,
et je ne voyais pas comment un jeûne
avait pu faire disparaître ça,
à moins que ce ne fût de la graisse.

Anyway. Elle ne m'a jamais pardonné.

Et voilà que je remets ça.
Sans plus savoir.
Aussi au pif que.

Peut-être une petite arcature à faire disparaître,
entre les oreilles.

Who knows ? 20 : 03

Samedi
89-08-12

10 : 24 Hier soir au *Lézard*
oh !, la porte tout en treillis
ne s'enlève pas complètement,

mais s'ouvre sur le hall
contre la cloison de droite
— de droite quand on arrive en haut,
celle mi-pleine mi-barreautée.
Hier soir au *Lézard,* donc,
j'ai dansé quatre heures et demie,
prenant un *break* de dix minutes sur la véranda
et allant boire de l'eau encore deux-trois fois.

J'ai dansé sur la piste,
j'ai dansé sur la mini-scène,
j'ai dansé dans le noir au fond,
j'ai dansé dans le fond près du bar,
j'ai dansé en avant près de la table de billard,
— il y a l'espace de la table de billard,
à gauche en entrant,
délimité, en gagnant le centre,
par un gros îlot-accotoir, fer-angles et treillis,
puis l'espace libre,
aussi grand que la piste de danse,
entre l'îlot-accotoir et le podium du grand côté,
la piste,
puis l'espace noir arrière
dans le recoin gauche formé par la mini-scène
qui de la piste touche presque le fond
ne laissant qu'un petit sentier pour passer
et le long haut banc contre le mur,
j'ai dansé tout le tour de la piste,
j'ai dansé au fond de la piste,
j'ai dansé au centre de la piste,
j'ai dansé à l'entrée de la piste,
et j'ai pogné le cul de de de de, de de de de
grand sourire en pommettes rieuses
et petite queue de cheval,
de noir vêtue en petite jupe de suède
et fermeture éclair argentée,
1 m 57 sautillant tout le temps.

J'ai dit j'ai pogné le cul,
je devrais dire le haut de la fesse gauche.

La piste était bondée,
ça faisait bien trois fois, peut-être quatre,
que Grand sourire me rentrait dans le dos,
j'ai mis mes mains derrière,
j'ai main-naillé,
l'ai effleurée l'ai touchée...,
elle s'y refrottait,
j'ai vu son grand sourire par-dessus mon épaule,
 la droite,
alors j'ai posé ma main plus résolument,
 la droite,
et j'ai atterri sur la fesse gauche, haut,

Et oh !,
elle ne s'est pas poussée.
Elle ondulait sous,
j'ondulais sur.
Ondule ondule et brasse et brasse,
ça nourrit l'élan,
c'est doux, c'est chaud,
et vogue la galère,
va vogue, va vogue,
je la massais presque,
tout en musique, tout doucement,
dansant dansant, dansant dansant,
et branle et branle, et branle et branle,
je l'ai même tenaillée plus hardiment,
toujours dans le haut de la fesse gauche,
toujours de dos à elle,
puis je suis remonté plus légèrement,
lui faisant de ronds effleurements dans le dos,
glissant caresse sur son bas de cou nu,
puis la musique s'est tue.

Grand sourire de Grand sourire,
 Gransourire Pommetterieuses,
puis elle s'en est allée plus vers l'avant,
gigoter gigoter gigoter,
et pogner le ventre du noir garçon,
lui faire la prise de l'ours par en arrière,
tout en *swingnant* bien hardiment, évidemment.

Plus tard, beaucoup plus tard,
je suis retourné à elle,
et je lui ai pianoté le dos,
comme une fête de papillons,
comme une multitude de petits insectes de feu,
danse danse, danse danse,
Gransourire grand souriait. 11 : 23

17 : 48 Et ce fut fait.

Quand j'ai quitté le *Lézard,*
j'avais le haut de la tête comme dans un étau.
Je me demandais si ce n'était pas mon cerveau
qui était en train de maigrir.
Oh !, frousse et faut qu'j'me pousse.

Sérieusement,
m'en revenant, bien tranquillement,
je me demandais
si je pourrais danser quatre heures en ligne
mardi prochain, après cinq jours de jeûne.

J'ai des doutes.

Mais je vais y aller.
Eille ! « Party Miaou » mardi prochain au *Lézard.*
« Le party Miaou de la mi-août sera marrainé par
la très nébuleuse Madame Minou (Louise Haley).
Invitée spéciale pour la soirée : Frankline et
ses minous. Frankline nous interprétera
quelques-uns de ses super tubes et ne manquera
surtout pas l'occasion de « rapper » avec son
D.J. préféré Robert Gauthier »,
lit-on sur le bulletin mensuel du *Lézard*
qui porte comme titre, dans un logo elliptique :
Ça Presse. 18 : 10

20 : 32 *Tempus fugit.*
J'étais étendu sur mon lit,
il y a quelques minutes,
et mon cœur s'est mis à pianoter bizarrement,
... de drôles de petits sons,
comme de tout petits bonds,
et puis, et puis...,
il a comme grondé,
une fois ou deux.

Un long et sourd grondement. 20 : 37

Dimanche
89-08-13

16 : 34 J'achève une bière.
Je reviens de chez Freddie.
Il fait chaud. Pesant. Collant. 29°C.
Le temps se grise.

La bière me grise.

Je m'étais couché, hier soir,
vers 20 : 40,
mais j'ai dû mettre deux-trois heures à m'endormir.

En me couchant, j'avais prié mon subconscient,
de bien vouloir m'envoyer un rêve clair.
Niet.
Il m'a rien qu'envoyé un sérieux mal de reins.

J'ai eu toutes les misères du monde, ce matin,
à me sortir du lit, vers 09 : 10.
Ce n'était pas seulement les reins,
c'était une immense fatigue généralisée,
et c'était une immense faiblesse généralisée,

parce que, bon sens !,
j'arrivais à peine à me tenir sur mes deux jambes.

J'avais seulement envie de retourner au lit.

Mais fallait que je me lave les cheveux,
fallait que je prenne ma douche,
parce que j'allais dîner chez ma mère.

Mais j'écrasais sur mes jambes,
tellement, que je trouvais ça effrayant.
Je me disais :
non seulement je ne danserai pas quatre heures
au *Lézard,* mardi prochain,
mais je ne m'y rendrai même pas !

Oh !

J'ai avancé tout croche tout raqué tout faible
dans la cuisine
où je suis tout de suite arrivé au réfrigérateur,
j'ai ouvert la porte,
et là à droite en bas, dans le balconnet,
il y avait deux grands pots à café
du ketchup que je m'étais fait l'automne dernier ;
j'ai pris le rouge,   aux fruits,
  car je n'y avais pas mis toutes les épices lousses,
  comme dans le vert,   bougre d'imbécile !,
je l'ai amené sur le comptoir,
l'ai dévissé, ai tiré sur le tiroir,
ai pris une fourchette,
l'ai plongée dans le pot à 80 % plein,
petit piquage du bout de la fourchette,
amené à la bouche ces douces choses amères,
and again and again,
plusieurs fois mon père,
j'ai câlissé mon jeûne là.

Un peu plus tard,   quand j'ai téléphoné à ma mère,
lui dire que peut-être j'aimerais mieux

y aller souper plutôt que dîner,
elle m'a demandé pourquoi ? ;
je lui ai expliqué le jeûne,
et que je venais de manger deux *toasts,*
  avec de la mélasse,
que je ne savais pas
comment mon estomac allait réagir,
que je voulais lui donner du temps,
elle a dit :
— Mais pourquoi t'as fait ça ? !   Un jeûne !
    On ne fait pas ça, des affaires de même.
    T'as une bonne santé.
    Pourquoi la mettre en péril ?

Hum hum.
Petit savonnage.
Et elle insista pour que j'y aille dîner.

Elle habite pas très loin d'ici,
un peu plus à l'est, sur la rue Jeanne d'Arc,
un peu plus haut, près de la rue Laurier,
seule,
un assez grand logement,   un 5-1/2,
au rez-de-chaussée d'un duplex qui lui appartient.

Elle m'attendait d'assiette ferme.
D'abord un petit bol de salade,
  avec laitue iceberg, champignons tranchés,
  morceaux de tomates
    qui viennent de ses voisins,   Julio et Tony,
      deux vieux estis, bien sympathiques,
  épices à salade
  et mayonnaise r'virée en crème.
Puis une grosse assiettée de fricassée de bœuf,
avec une demi-tranche d'un gros pain galette.

Pour dessert,
d'abord un Jell'O,
  aux cerises, avec jus d'ananas dedans,
recouvert de deux grosses cuillerées

de crème fouettée fraîche,
puis une tranche de gâteau aux carottes glacé,
et à côté, dans la même assiette,
un demi millefeuilles.

Message :
Dans la vie, mon ti-gars,
faut bien manger pour être en santé.

Je dois avoir un bon estomac.
Il n'a rien dit.
Il n'a rien fait.
Il a tout encaissé bravement.

J'ai quitté ma mère après dîner,
  en emportant le restant du gâteau aux carottes,
j'ai arrêté ici,
  y déposer le gâteau,
  fallait que je transfère, *anyway,*
puis j'ai pris la 24 et suis allé chez Freddie. 17 : 59

Lundi
89-08-14

14 : 41 Quand je suis arrivé à son commerce,
il était dans l'espace avant,
à droite là-bas au fond assis sur le banc d'église,
  dos au mur,   bleu azur,
à la table seigneuriale,
en plein centre,
homme blanc lisant journal,
encadré des deux hauts dossiers des fauteuils Voltaire
  qui se trouvaient de ce côté-ci de la table,
  espacés,   un peu croches,
  un peu tournés l'un vers l'autre.

À la friteuse, en biais à gauche,
au centre du commerce,

sous hotte grise,
Bertha-Bella, baguettes en mains.

Elle portait salopette blanche et petit pull blanc.
Je dis petit,   faut s'entendre.
Bertha-Bella est aussi grosse que la friteuse.
Ça fait déjà un bon moment
que Bertha-Bella travaille pour Freddie.
Une quinzaine de mois, certain.
Elle fait trente heures par semaine
à dix piastres de l'heure.
Mais je pourrais pas vous dire quand et comment
elle fait ces trente heures.
J'ai jamais vu ça du monde aller
comme elle et Freddie.
Elle peut rentrer un lundi matin
et faire quinze heures en ligne,
donc sortir vers vingt-trois heures,
revenir le jeudi soir à vingt heures,
se taper un autre quinze heures en ligne,
et donc finir sa semaine vendredi matin,
à onze heures.
Mais elle peut, la semaine suivante,
faire une journée de deux heures,
suivie d'une de dix, de huit le surlendemain,
de six et de quatre pour finir.
Et ainsi de suite, name it,
any which way,
which is witchy, wouldn't you say ?,
... or very witty.
Enfin...,
je ne sais pas comment ils arrivent à s'arranger
à fonctionner aussi loussement,
mais ils s'arrangent,   c'est ça qui compte.

Le reste du temps,
Bertha-Bella fouine dans les services de la Ville,
continuant ses recherches
sur le développement physique et sociologique
de la rue Saint-Hubert,   entre Cherrier et Roy,

  et elle « entretient ses idéaux politiques »,
  comme elle dit.

Je l'ai saluée,   d'un haut geste de main gauche ;
elle souriait d'une oreille à l'autre
  sous ses lunettes bleues parallélogrammiques,
  les cheveux remontés en triple toque
  sur le pignon de la tête,
  et tout cela pogné sous une résille,
ravie comme si j'étais le bon Dieu en personne,
béate ;
elle m'aime comme une démente, la sainte estie !,
c'est vrai !,
j'dis pas ça pour me vanter,   loin de là,
j'y peux rien,
c'est comme ça,
'est *stickée* sur moé,   'est pas décollable,
elle pourrait faire concurrence à Crazy Glue.
Et elle s'en vante, à part de ça.
Elle raconte à tout le monde que je suis son homme.
Elle dit que je n'ai pas les yeux devant les trous,
mais que lorsque je m'alignerai,
je verrai bien que c'est elle et seulement elle
la dame de ma vie.
And on and on, la grosse câlisse !

Enfin...   some other time...

Je lui ai fait tata du bout des doigts,
elle n'a pas perdu connaissance,
et j'ai passé vite,   me dirigeant vers Freddie.   15 : 53

18 : 05 Il lisait dans le *Voir* de cette semaine
un article sur le raï,   musique algérienne.

Je m'assis dans le fauteuil Voltaire
au bout de la table,   le dos dans la vitrine.
  Enfin... le pare-brise de dentelle,
  et, au-dessus, les lamelles d'un store vertical,
  coupées bien *fancyment* en arc de cercle surbaissé,

et, plus loin, la tenture à jours,
tout cela était dans mon dos,   plus ou moins.
Je suis donc assis dans le fauteuil Voltaire,
et oui, bon, faut que je vous dise,
à propos des fauteuils Voltaire.
La caractéristique principale d'un fauteuil Voltaire,
c'est d'être bas.
T'es quasiment assis à terre.
Chez Freddie, non.
Il s'est bien inspiré dudit meuble
quand il a fait faire ses fauteuils
par son artisan de Sainte-Lucie, dans les Laurentides,
mais il lui a dit, lui montrant un dessin :
— Fais-les exactement comme ça,
sauf le siège bas.
Fais-le à hauteur normale.

Il le fallait. Sinon
on se serait pèté le nez contre le plateau.
Enfin...
La deuxième caractéristique principale
d'un fauteuil Voltaire,
c'est le dossier :
haut,
plein,
et surtout, fortement cambré aux reins.
Pour le reste,
accoudoirs à manchettes,
pieds du devant chantournés, bouclés,
consoles d'accoudoirs chantournées, bouclées,
et du capitonnage.
Freddie a choisi une cuirette rouge grenat,
et il a teint le bois ocre.
Si si.
Shuuuuut.
Him the boss.

Je ne vous parle pas pour le moment
de la table seigneuriale,
d'inspiration flamande « à l'italienne »,

qui a des oves sur l'échine,
des godrons sur la ceinture,
et dont l'espèce de plateau-coffre
repose sur quatre gros balustres à poire renversée,
qui eux-mêmes chutent
sur de lourdes sections carrées mortaisées
qui reçoivent les tenons des traverses
qui servent à poser les pieds,
et qui donc empêchent qu'on glissât sous la table
quelque chaise que ce fût.
Disons seulement que notre ami Freddie
a tout peinturé cette œuvre flamboyante
en rouge grenat, ocre, et même un peu de bleu azur,

pour aller avec les tuiles de linoleum du plancher
et la couleur des murs. 18 : 56

Mardi
89-08-15

09 : 05 Enfin...,
ça faisait pas une demi-minute que j'étais assis,
j'avais à peine fini de me positionner,
que Bertha-Bella roucoula :
le visage tout en sous-entendus :
— Est-ce que je t'apporte une vulve chaude,
mon beau grand Gasp ?,
et elle tortillait du gros *body,* la saint-ciboire,
me laissant savoir, avec toutes ses grimaces,
qu'elle me mettrait bien la sienne dans'face.

Je dis :
— Laisse faire, grosse calvaire !,
ce qui la fit éclater de rire.

Puis elle turlutâilla :
— J'aime ça j'aime ça, quand Gas'pe me bardasse...,
s'activant à la friture de ses beignes.

'Est décourageante.

Freddie, bien sûr,   le dos au mur,
s'amusait comme un saint sacrament,
les yeux pétillants,
le rire étouffé sur le bord de la gorge.

Je lui dis :
— Vas-y, vas-y ! esclaffe-toi.
Et il le fit. Immédiatement et joyeusement.
Manqua de crouler sous la table,
en pleura presque,
ne cessant de répéter « esclaffe-toi, esclaffe-toi »,
insistant sur le *fe* qui m'avait échappé,
se redémarrant ainsi à tout coup,
et se pognant le ventre à deux mains.

Bertha-Bella à sa friteuse,
crasse crasse crasse, avait l'air toute joyeuse.

Quand tout se calma, je dis,
peut-être un peu rembruni :
— Ça me fait plaisir
de vous apporter ce débordant bonheur,
et je tortillai un peu contre le dossier,
ce qui taquina beaucoup Freddie,
mais il se força à reprendre son sérieux,
rouant de la gorge,
se toussant dans le creux de la main
entre le pouce et l'index recourbé,
fermant le journal, le tassant à droite,
s'adossant contre le mur,   les bras tendus,
puis *slaquant,*
puis sifflotant,
puis tambourinant des doigts,
enfin il dit :

— Puis mon affaire de bigamie ? :
y as-tu repensé, mon ami ?   10 : 25

11 : 07 Je lui répondis :
— Une fois ou deux, oui.

Le premier *flash* que j'ai eu
concernait les enfants.
Est-ce que dans ton système,
on y ferait des enfants à quatre, méli-mélo,
peu importe qui soit le père
pourvu que ce soit un des deux ?

— Absolument pas !,
dit Freddie :
Les enfants seraient du couple époux-épouse.
Un test génétique pour établir la paternité
pourrait devenir un acte médical automatique
lors des naissances.
Cela dit, si, dans un quatuor donné,
l'entente entre les membres est si *tight*
qu'on y fait ce genre de trip,
style l'épouse qui voudrait un enfant de son amant,
eh ben, si tout le monde est d'accord,
nous sommes adultes et libres,
l'important c'est que le père sache
qui sont ses enfants,
et que les enfants sachent qui est leur père.

Ils pourraient même vivre tout le monde ensemble
dans la même maison,
tiens !, j'avais pas pensé à ça :
on pourrait repenser entièrement
l'architecture de la maison dite familiale
en fonction de la bigamie institutionnalisée.

Et il sourit. 11 : 28

11 : 29 Puis il dit :
— Quoi d'autre ?

Je réfléchissais.
J'essayais de me rappeler
quel autre *flash* j'avais eu.

Ça me revint.
Je dis :
— Ah oui !, l'usure.
J'ai pensé que ce qui magane le couple,
en situation de monogamie,
c'est l'usure.
C'est un système tellement fermé,
tellement exclusif,
que cette espèce de manque d'air
asphyxie la passion,
que la routine appauvrit les stimuli,
bref, qu'à toujours manger du spaghetti,
un gars s'écœure, une femme aussi, j'imagine.

Or je trouve que ton système est aussi fermé,
et que l'usure va donc aussi y opérer.

Freddie secoua légèrement la tête,
l'air découragé,
puis il dit :
— Tu ne devais pas être très bon en math
à la petite école,
ou alors tu cherches juste à objecter pour objecter.
Enfin…
À supposer que tu dises vrai.
Que l'usure opérera autant en bigamie.
L'évidence même dit
qu'elle prendra très certainement
au moins deux fois plus de temps à agir.
L'évidence même dit
que si tu manges du spaghetti et du chop suey
tu vas mettre deux fois plus de temps à t'écœurer
de l'un ou de l'autre, ou des deux,
que si tu ne mangeais qu'un de ces plats.
Donc, mon système de bigamie
est au moins deux fois plus riche que la monogamie.
Il offre deux fois plus de possibilités,
deux fois plus de stimulation, d'inspiration,
deux fois plus de ci de ça, name it, esti !
Et deux fois plus, si c'est pas plus !

Le fait de sortir l'éternel triangle
du mensonge et de la fausseté,
on sait pas comment, all of a sudden,
ça peut *booster* l'amour.
On sait pas.

Et y'é pas dit que dans mon système
les quatre vont vivre ensemble.
S'ils le font, ce sera à leurs risques et périls.
Sinon, ce sera plus aéré.
Et puis,
si on maintient pour le couple époux-épouse
l'exigence de l'*à jamais* ou du *pour la vie,*
et y'é pas dit qu'on soit obligés,
il n'est nullement dit, dans mon système,
que le couple amant-amante est là éternellement.

On pourrait changer d'amant,
peut-être après cinq ans.
Changer d'amant, changer d'amante, bien sûr.
Autre manière de sauver le couple,
c'est pas brillant ? !

Quelle ardeur, monseigneur !
Je levai ma main droite, paume offerte,
et je demandai un *break.* 12 : 25

13 : 27 Je soufflai soufflai,
et je me calai dans le fauteuil.

Là-bas, Bertha-Bella œuvrait.
Elle me regarda.

Je lui dis :
— Qu'est-ce que tu penses de ça,
la bigamie selon Freddie ?

Elle souffla.

Elle baguetta.
Elle dit :
— Moi ?..., d'abord te dire,
  que tu me suffirais bien amplement.
  Mais si aussi
  je pouvais me taper Freddie de temps en temps,
  oh !, quel agrément.

Freddie sursauta, s'offusquant,
s'offusquant gravement,
mais déjà Bertha-Bella reprenait :
— Sérieusement,
  ce que je trouve de littéralement fascinant
  dans le trip de Freddie,
  c'est cette histoire de remplacer
  l'éternel triangle par le losange éternel.
  C'est cette histoire de losange qui me fascine.
  Je trouve ça futé.
  Je trouve ça malin.
  Je trouve ça malin malin malin,
  comme trois tribus de singes.

  Je presque trouve ça génial,
  c'est pas mêlant,
et elle sortit la grille de beignes de l'huile chaude,
Freddie ravissant sur son banc.

Je soufflai.
Je soufflai long long long, profond.

Et pas bien longtemps après,
je les quittai.

Non sans avoir embrassé Bertha-Bella sur les joues,
et lui avoir brassé les deux totons bien d'aplomb.
Si si.
Littéralement.

J'vous jure. 13 : 50

17 : 12 Plus tard en m'en revenant, — je sais je sais,
dans la 24 sur Sherbrooke,
je repensai à mon jeûne,
enfin..., repenser, c'est vite dit,
un seul *flash* en fait m'est venu.
J'ai pensé :
le brisement des chairs
est plus dur à faire à quarante ans qu'à trente.

J'ai pas dit un mot.
J'ai pas élaboré là-dessus dans ma tête.
J'ai laissé ça d'même. 17 : 19

18 : 03 J'étais pas encore fort fort. ...

Mercredi
89-08-16

09 : 17 Quand je suis arrivé au *Lézard*
hier soir vers vingt-trois heures,
il n'y avait pas un chat sur la piste.

Curieux, ça,
pas un chat sur la piste,
un soir de « party Miaou ».

Mais op !, y'en avait plein au plafond.
Des verts phosphorescents, des pêche,
des jaune citron et des orange phosphorescents,
qui avaient tous semblable large sourire blanc
sur une bouche noirement dessinée,
et qui avaient tous
semblables yeux spiralés-carrés blancs
sur des pupilles noirement dessinées,
puis qui encore portaient tous comme moustaches
six pailles, blanches ou colorées :
trois d'un bord, trois de l'autre.

Le blanc des yeux et des sourires
était une espèce de matière plastique
qui avait été appliquée en fusion
et qui avait durci par la suite.
  J'ai pensé qu'on avait peut-être fait fondre
  un certain nombre de pailles.   ? ? ?.
L'idée de tout ce blanc,
c'était que quand les *black lights* pognaient dedans,
oh boy !, quels sourires blancs étincelants,
et quels yeux spiralant blanc hypnotisants !
Quels minous vivants !   Quels minous vivants !

Je ne crois pas que Louise Haley fût déjà là.
On l'appelle madame Minou, elle,
  j'allais le constater plus tard,
  dans le cadre d'une émission de télévision,
parce qu'elle dit des chatises.

Enfin…

Je dis   il n'y avait pas un chat sur la piste
et je joue l'étonné,
mais, vous l'aurez deviné,
c'est à cause des circonstances.

En fait, il n'y avait rien d'étonnant
à ce que la piste fût vide.
C'est toujours comme ça,   à cette heure-là.
Sauf le vendredi.
  Y'a souvent une personne, ou deux ou trois,
  sur la piste le vendredi, vers vingt-trois heures.

Enfin…
C'était d'autant plus pas étonnant, hier soir,
que le disc-jockey en ce début de soirée
jouait dans des eaux *weird,*   mais *weird,*
que pas un atome ne bougeait.
C'était mort, c'était mort,
c'était mort mort mort.

Même moi, j'arrivais pas à trembloter là-dessus.
C'est pour vous dire.

Même pas à trembloter.
Même moi.
  J'dis pas ça pour me vanter.
  Y'a rien là,   j'ai pas de mérite,
  je suis tombé dedans quand j'étais grand.
Enfin…

Il jouait donc dans des eaux *weird,*
de lentes lentes lentes bizarreries,
que ça pétillait pas du tout,
ça s'effondrait même pas non plus,
ben !,
des fois quand ça monte pas, ça descend,
au moins ça bouge,
mais là, là, c'était comme suspendu,
y'arrivait rien,
c'était tik tik tik tik mou,
c'était moléculement aquatik,
ah !, j'y suis :
  c'était bien écrit,
  sur les affichettes annonçant le « party Miaou » :
    Musik Hypnotik.
Ah bon !
C'était ça ?
Passons. 10 : 33

17 : 29 C'est ce que je faisais.
Je passais et repassais.
Je marchais je marchais je marchais,
buvant ma bière,
traversant plusieurs fois la piste vide,
allant par-ci allant par-là,
soufflant soufflant, soufflant soufflant,
bien tranquillement.

Puis j'ai comme accroché sur une de ces *weird* tounes,
j'ai comme remué du *body,*

roulant tombant relevant des épaules,
tortillant de la colonne,
très discrètement très discrètement,
comme un énoncé de politique,
puis c'est tombé dans mes jambes,
oups !, dans mes pieds,
le droit s'est élancé,
lent lent lent, lent lent lent,
geste large, geste lent,
et ce fut surtout ça,
de larges lents mouvements des jambes,
et le pied au bout qui se posait doucement,
sur pointe souple, comme prudemment,
et le dos qui courbait, et le corps qui penchait,
et les épaules qui roulaient,
et les bras qui s'écartaient,
et les mains qui valsaient,
et les doigts qui pianotaient,
et tout ça en grands mouvements lents,
lents et avançants, presque rampants,
oh ! oh ! oh !, oh ! oh ! oh !,
plus j'allais là-dedans,
plus je trouvais que c'était très félin,
très très très félin,
que j'en souris,
chat souriant,
et souris chatiant.

J'ai fait une danse, j'en ai fait deux,
une troisième,
puis une demoiselle est venue,
là sur le devant de la piste,
dansant aussitôt, et le faisant bien,
une danse et puis une autre,
puis un jeune homme s'est amené,
un autre, une autre, un autre,
et tout a décollé.

Beaublonde est arrivée.

Ouh !
Toute noire   sous sa tête lumineuse.
  Corsage-culotte à bretelles,
    échancré en U dans le dos jusqu'aux reins,
    décolleté en chrisse sur le devant jusqu'aux seins,
  sa petite jupe à plis,
  collant noir et souliers noirs.

Toute dansante, au centre, parmi les gens,
elle partageait la bière de son ami peintre
dansant aussi.
Toute dansante, au centre, parmi les gens,
elle partagea le baiser de son ami peintre
s'enivrant ainsi.

Toute dansante toute dansante,
elle faisait une danse et puis elle s'en allait.

Après la bière, après le baiser,
elle fut seule.

Après bien bien bien bien des danses,
oups !,
elle fut là, dansant à ma droite,
à un demi-pas,   son profil gauche en vue.
C'était si ressemblant,
à une situation vécue plus tôt,
mais de l'autre bord,
que je souris, tout en dedans,
et que l'idée me revint de le lui dire,
de le lui dire enfin,
et, tiens !,   pas de résistance,
à peine une petite hésitation,
et je me penchais vers elle,
et je tendais ma bouche vers son oreille,
et je lui disais :
— Je t'aime bien,   t'as un beau genre.

Oups !
Dans le petit espace entre les deux bouts de phrase,

j'ai cru voir sa mâchoire se serrer,
son visage s'ombrager,
j'ai cru la sentir *stiffer,* s'impatienter,
mais le « beau genre » est tombé   et woups !,
un beau sourire,   vu de côté,
m'a décontraint le cœur.

Dieu ! quelle aventure.

Elle ne m'a pas regardé.
Elle a fermé les yeux, je crois.
Elle a continué à danser,   moi aussi,
puis la musique s'est arrêtée.

C'était le temps du spectacle.
La piste s'est pas mal vidée.
Beaublonde n'a pas quitté.
Elle s'est tournée vers la droite, a fait un pas.
Là-bas, au fond de l'espace libre,
près du mur noir, suspendue au plafond noir,
une télé couleur présentait un extrait
de l'émission *Garden Party* de la journée
où madame Minou disait à l'animateur Serge Laprade
qu'il allait y avoir ce soir au bar le *Lézard*
un « party Miaou » en l'honneur des chats.
Ou quelque chose comme chat.
— Oh lala !,
s'étonna Serge Laprade :
    Un *party* pour les chats
    dans un bar qui s'appelle le *Lézard,*
    n'est-ce pas un peu incongru ?, ha ! ha ! ha ! ha !

Beaublonde ne bougeait pas.

La télé se tut.

La mini-scène s'anima,   du côté opposé de la piste,
ce qui ramena le monde,   en rond au pied,
ce qui ramena Beaublonde,   un pas ou deux,
et elle fut là devant moi,   de dos,

à dix centimètres,
les mains croisées dans le dos,
les doigts recourbés vers l'extérieur,
si près si près si près de moi
que si elle avait reculé encore un peu,
elle aurait pu pogner mon avenir
qui n'est peut-être pas le sien.

Mais c'est pas tant ça qui me préoccupait
que le fait qu'elle demeurait, depuis un moment,
dans mes environs.
Non seulement était-elle demeurée dans mes environs,
mais elle était là, droit devant, à dix centimètres.
Hasard du mouvement ?
À cause du spectacle ?
Ou souhaitait-elle,   et je me le demandais,
que je lui parlasse encore un peu ?

Misère !
J'ai pas parlassé un mot de plus.

Frankline s'est amenée sur la mini-scène
avec son bac à peinture en aluminium
et son bâton à mélanger,
et tak tak tak tak, ta-tak !,
elle a brassé le monde avec son *Rockatchouka,*
un rock endiablé, bien mené, bien chanté,
bien tapé,
  faut du talent et un bon sens du *beat*
  pour faire rocker un bac à peinture,
and on and on, ça chauffait bien,
elle a entraîné avec *Relaxe ton corps,*
un autre rock bien sauté
pour lequel elle avait délaissé le bac,
préférant sa bonne vieille guitare.

Ce fut tout.
À ses côtés,   sur les podiums flanquant la scène,
un gars chat dansait et le faisait bien, à droite,
et une fille chatte en faisait autant, à gauche.

La danse a repris.
Beaublonde est partie.
Je ne l'ai pas revue. 19 : 23

21 : 07 Chatvirant. …

Jeudi
89-08-17

14 : 57 Hier soir au *Lézard,*
j'étais crevé tout de suite en partant.

J'étais lourd sur mes reins.

Pas grand-monde dans la place, à vingt-trois heures.
Mais une momie blanche,
sous un palmier, près du pilier,
à peu près en ligne avec l'entrée,
une petite affaire à gauche,
à quatre-cinq mètres vers l'intérieur.
Ça m'avait tout l'air d'un mannequin de vitrine
qu'on avait enrubanné de bandelettes.

Je me suis dit :
— Tiens, Lézarabes encore à soir…
et effectivement,
il y avait encore au plafond
des voiles blancs vaguant.

L'un d'eux vaguait comme ça
le long du grand côté de la piste le plus rapproché,
et tombait, à chaque extrémité,
en une large banderole
qu'on avait cisaillée en lamelles,
tout cela faisant à la piste
une espèce d'entrée solennelle genre double arcade,

le podium du centre portant sur son coin gauche,
un faux pilier de fer-angles et entretoises,
qui renforçait cette image.

Parlant de faux pilier,
il y en a quatre-cinq, comme ça,
qui flanquent l'un et l'autre grand côté de la piste.
Un vers le fond, un vers l'avant,
un au centre, de ce côté-ci,
celui du podium dont je viens de parler.
À l'exception de ce dernier,
ils sont rivés au plancher de béton et au plafond
juste juste sur le bord de la piste.
Leurs fer-angles de 2,5 cm sont placés en carré,
à 25 cm l'un de l'autre,
et leurs entretoises,
des lamelles d'acier de 0,7 cm d'épais, 1,5 de large,
fixées obliquement à tous les 60 cm.
À peu près.

Au début,
je pensais que c'était seulement pour la décoration.
De temps en temps, au cours des mois,
j'ai vu une jeune moderne se pendre après,
et se mettre à danser, mais alors là, minute !
J'ai vu quelques jeunes femmes
commettre ainsi d'étonnantes gestuelles.
J'ai vu des déhanchements
d'une époustouflante passion.
S'il eût fallu qu'on trouvât un pénis
dans un de ces bassins lâchés lousse,
le gars au bout aurait fondu des oreilles.
J'vous jure.
Quelle ardeur !
Quelle passion !
Quel feu !
Quelle maîtrise !

Mais c'est pas arrivé souvent.
Enfin...

Moi, hier soir,
débandé comme je l'étais,
désâmé,
gnan gnan gnan,
je me suis à un moment donné
pogné à un de ces piliers.

Eh ben !
J'ai fait une découverte.
Ça aide.

Ça aide en sacrament.

C'est surprenant.
Ça vous décharge du vilain qui vous écrase,
ça vous lousse les os,
ça vous tend les muscles,
et ça devient quasiment quelqu'un, c't'esti d'pilier !
Ça devient quasiment quelqu'un.
J'vous dis.
Je me suis rendu compte de ça, à un moment donné :
je jouais quasiment avec.
  J'te pogne pas la main, mais j'te pogne la tige,
  je me laisse tomber, mais tu me retiens…,
  t'es pas une personne, mais t'es pas rien,
  tant qu'à pogner du vent, autant t'pogner, toé,
and on and on.

Hé !
Un gars se relève comme il peut.

Enfin… 16 : 24

17 : 08 Et puis Beaublonde est arrivée. …

Vendredi
89-08-18

09 : 44 Veste de cuir noire,
brassière noire,

ventre peau,
jupe à pinces noire
  lisérée gris,
et je n'ai pas remarqué le reste.

Je dansais au fond de la piste,
  vers la gauche — quand t'as le dos au mur,
il y avait dix-douze personnes qui dansaient,
Beaublonde s'est assise
sur l'un des podiums d'hier qui flanquaient la scène,
  — celui le plus rapproché du bar,
face à la piste,
  à un peu plus d'un mètre d'elle.

Je regardais souvent dans sa direction.

Elle regardait droit devant elle.

Je voulais bien la saluer,
mais vous savez ?,
je suis très très très myope
mais je ne porte pas de verres.
J'aime pas ça.
J'en porte seulement quand je vais au cinéma.
  — Une fois ou deux par année,
      et encore !
Donc je dansais,
je dansais dansais dansais,
me pognant souvent après mon pilier,
remarquant souvent que Beaublonde restait assise là,
quasiment sans bouger,
longtemps longtemps longtemps,
et je me demandais
si elle n'allait pas bientôt venir sur la piste,
et si il allait se passer quelque chose
entre elle et moi,
advenant qu'on se retrouvât
dans les parages l'un de l'autre.
Mais le temps passait et elle ne bougeait pas.

Le temps passait et le *Lézard* ne se remplissait pas.

Atmosphère de lenteur et de lassitude.

Toujours qu'une douzaine de gens sur la piste.

À un moment donné,
j'ai dégelé de mon coin
et, dansant dansant,
je me suis avancé droit devant vers l'avant,
mais de côté,
ce qui m'amena en plein en face d'elle,
à un peu plus d'un mètre,
et je dansais courbais et je dansais courbais,
et je l'ai regardée,
et je dansais courbais saluais,
alors oups !,
elle s'est levée,
prestement,
very swift movement,
s'en allant vers l'avant,
me laissant froid, me laissant froid.
Oh boy !
Gorgoton, petits frissons, et des questions.
Mon Dieu !, l'ai-je offensée ?
Et je dansais là-dedans,
et je dansais là-dedans,
la vie est une bien grande aventure,
m'en remettant tout juste,
quand je la vis revenir,
flanquée de son t'chum, son ami peintre.

Je me suis dit « oh boy !, le message est clair »,
et je les ai vus aller s'asseoir tout au fond,
dans le noir,
au-delà de la mini-scène,
sur le haut banc contre le mur,
tout près tout près tout près l'un de l'autre,
et,
ne l'ai-je pas vue l'embrasser ?.

Je dansais dansais dansais,
je dansais dansais dansais,
et à un moment donné, je les ai regardés,
et j'ai dansé courbé et j'ai dansé courbé,
comme les saluant,
puis, reprenant mes élans,
je me suis un peu perdu parmi les gens.

Pas bien longtemps après,
quelqu'un du *Lézard* s'amenant prestement
poussa le podium de gauche
de la mini-scène au fond de la piste.
Une danse plus tard,
je grimpai dessus. 10 : 42

11 : 24 Beaublonde by then était seule again.

Je fis trois-quatre danses, ou quatre-cinq,
pas mal endiablées pour un gars crevé.
Il y avait plus de monde sur la piste,
et plus aussi un peu partout.

Quand plus tard je descendis du podium,
je le fis à droite,
et me dirigeai vers la grande murale des peintres,
à droite du bout de la table de billard,
où je m'arrêtai,   comme juste à l'entrée.

Or sitôt arrêté, woups !,
Beaublonde surgit à mon côté,   à gauche,
tout près tout près,
que j'ai eu l'impression
qu'elle s'était élancée à ma poursuite.

Gêne et malaise,   doute et questionnement,
un gars en T-shirt vert et en cheveux ras,
en air gentil et yeux souriants,
s'est détaché du devant du large îlot-accotoir
  qui sépare l'espace billard de l'espace libre,
et a dit quelque chose à Beaublonde.

Elle n'a pas compris, elle s'est penchée,
il a redit, ils ont souri,
ils se connaissaient, ça se voyait.
Le gars s'est penché par terre
ramasser un œil de chat qui traînait là
  — vestige de la veille,
      un rond de papier blanc
      broché dans une ellipse de papier noir,
      le tout suspendu à une ficelle,
puis le peintre est arrivé
qui trouva aussi un œil,
alors il y eut une petite scène d'amusement,
le peintre parvenant à se coincer devant les yeux,
les deux yeux de chat confectionnés,
en les tenant entre l'arcade de l'œil et la joue,
faisant alors le gros minou,
ouh ! ouh ! ouh ! ouh !,
tout près de moi, me frôlant presque,
tout le monde souriant,   moi aussi,
Beaublonde aussi,
yeux croisés,
sourire maintenu,   de moi à elle,
mais qu'est-ce, mais qu'est-ce ?,
ai-je bien perçu ? :
petit air triste   et fatigué ?

Je ne sais pas ce qui ensuite s'est passé.
Je ne me rappelle même pas
comment la petite scène d'amusement s'est terminée.
On a dû traîner un peu les uns les autres,
puis je suis retourné danser.

Beaublonde n'a pas dansé de la soirée.

Plus tard elle est partie.
Seule. 12 : 10

Samedi
89-08-19

13 : 40 Hier soir au *Lézard,*
vers vingt-trois heures quand j'y suis arrivé,
il y avait de petits îlots de gens un peu partout.
Le premier îlot-accotoir-haute-table-de-service,
entre le bar et la piste,
était tout encerclé.
Devait y avoir là six personnes.
Un petit peu plus loin, au bar, deux personnes.
Encore plus loin en gagnant le fond, trois autres.
Sur le haut banc, tout à fait au fond,
au-delà de la mini-scène,
deux filles assises,
les jambes repliées sous elles,
ou plutôt, une jambe repliée sous elle,
l'autre, le pied à plat sur le banc,
le genou dressé comme accotoir pour le coude,
sort of…
Au-delà de la mini-scène à gauche,
dans le recoin du fin fond,
mais à trois pas de la piste,
un couple debout.

À l'avant, on jouait au billard.
Il y avait plein de gens assis sur le banc
qui longe toute la cloison
de l'entrée à l'ouverture du vestiaire au bout.
Le vestiaire de sortie.
La porte-service du vestiaire d'entrée
donne dans le hall, au-delà de la cloison.
Le banc longe aussi la table de billard.
Si près que les joueurs ne peuvent jouer de ce côté
sans que les assis ne se tassent un peu
pour laisser passer le talon de la queue,
histoire de ne pas la recevoir entre les deux yeux.
Il y avait des gens aussi, de ce côté-ci de la table,
contre le gros îlot-accotoir
qui sépare l'espace billard de l'espace libre.
Bref, it looked like a Friday night.

More people out to festive,
if you know what I mean.
Nice French word, ça : festive.

Mais ça ne festivait pas beaucoup sur la piste,
hier soir, vers vingt-trois heures.
En fait, la piste était noire de pas monde.
Personne.

J'ai commandé ma bière au bar
puis je me suis dirigé vers le fond, vers le centre,
à droite de la mini-scène,
où j'ai grouillé un peu sur place,
me dégelant *sort of,*
puis j'ai traversé la piste, puis l'espace libre,
puis l'espace billard,
aller me planter près du vestiaire de sortie,
y grouiller un peu sur la musique,
quelques secondes seulement,
puis revenir vers la piste,
grouiller un peu dans l'espace libre,
puis gagner la piste, bouteille bien pleine en main,
et danser danser, danser danser,
élégamment tout tortillant
sans rien renverser.

Une danse faite, le couple vint,
et nous fûmes trois.
Il fit une danse et puis se retira.
J'avais déposé ma bière
sur la tablette près de l'enceinte gauche
posée sur le plancher,
et je continuais à danser.
Une femme vint, puis une autre,
encore une autre, et danse danse,
il y en eut bientôt dix
et nous formions cercle.
Bien sûr, j'ai pensé :
« Tiens, ce soir ce sont les femmes
qui sont les plus dégourdies. »

Et bien sûr, j'aurais pu penser :
« Nice evening en perspective. »
Mais ho !, minute.
Friday night crowds are tough.
Tu souris,
et t'as l'impression
de passer pour le maquereau du siècle.
Tu tends la main ?
Ouille !
Qu'essé ? Tu sors-tu de l'asile, toé ?

Fuck it fuck it fuck it, que je me dis,
je danse jusqu'au *last call,*
la piste s'est bondée, la place s'est bondée,
mais rien ne s'est passé.

Enfin...,
j'ai découvert quelque chose,
hier soir au *Lézard.*
La police en casquette,
méchante aux dents de requin,
se cache, matraque brandie,
dans le deuxième cabinet des toilettes des hommes,
et s'apprête à taper sur la tête
d'un pauvre gars en jean et pull-over noir
qui avait idée de fumer son joint dans la bécosse.
— Une œuvre d'Éric Godin, de la revue *Voir.* —

Sur la main dressée du pauvre type,
un graffiti :
« Rien, mais rien,
entends-tu, ne saura
redonner la lettre de l'enfance. »

? ? ?
L'heure est grave,
admettez. 15 : 20

Dimanche
89-08-20

10 : 06 Il pleut.

Il a plu très fort aux petites heures du matin.

Il se prépare quelque chose.
Ça fait deux nuits de suite
que je fais un drôle de rêve
impliquant mes testicules et mon pénis,
et une femme qui joue avec.

Je m'en vais dîner chez ma mère. 10 : 08

19 : 16 Back.
No rain but grisaille de pluie.

Avant de me rendre chez ma mère,
j'avais téléphoné à Lapocalypse
lui demander s'il pourrait me masser aujourd'hui,
vers la fin de l'après-midi ?
Il m'a dit oui, que ça lui ferait plaisir,
mais pas trop tard,
vu qu'il devait souper au-dessus,
chez Freddie et Uredrue.

Moi, ma mère m'avait prévenu
qu'elle aurait quelques petites choses
à me faire faire après le dîner.
Installer une nouvelle douche téléphone,
et fixer un nouveau store vénitien, blanc,
les modernes, à lamelles étroites,
qu'elle a payé seulement 10 $, une super aubaine,
à la fenêtre de sa cuisine,
au-dessus de l'évier.

Avec tout ça, je suis arrivé chez Lapo à 15 : 45.
Le temps de placoter, le temps de m'installer,

le temps d'être massé,
et le temps de prendre mon temps avant de me relever,
je suis parti de là vers 17 : 30.

Super job.
Tout le temps du massage,
David Bowie chantait en douce
Space Oddity,
répétitivement, sur une cassette de 60 minutes.
Même que Lapocalypse s'est servi de la musique,
note par note, à un moment donné,
vers la toute fin de la chanson,
alors que ça sautille nerveusement beaucoup,
comme saccadé, comme par à-coups.
Il me travaillait le bas du dos, alors,
dans le bout des « poignées d'amour »,
et il te m'a brassé les chairs, alors,
il me te les a agitées,
pianotant sec doux dedans puis me les pognant,
me les brassant, sec, me les vibrant,
puis rentrant dedans, *deep* doux profond,
les malaxant,
alors que Bowie reprenait sa toune,
« Ground control to major Tom »...,
ah !
bientôt les éclats,
Lapocalypse est un très bon masseur.

Un des bouts que j'aime le mieux,
c'est quand il me fait ce qu'il appelle
« la traction des orteils ».
Il tire dessus une par une,
et non seulement sur chacun des orteils,
mais sur chacune des phalanges
de chacun des orteils.
Il tire dessus, les roule, les tortille,
les gigote,
c'est pas croyable le bien que ça fait.
Ça vous étire les os jusque dans le cerveau.

Il a d'ailleurs fini l'ensemble du massage
en me jouant pas mal avec les os,
me faisant des « manipulations de l'iliaque »,
  une manière de vous détendre et de vous rouler
  la tête du fémur dans l'acétabule,
  que ça vous allège la hanche comme par enchantement,
  puis de vous dégivrer et de vous détasser
  les articulations sacro-iliaques
  que vous avez quasiment l'impression
  d'avoir un bassin flambant neuf,
puis achevant plus haut
avec des « manipulations de l'arc cervical »,
  une manière de vous étirer le cou,
  et de vous rouler la tête,
  qui achève de vous dégourdir.

Dieu que ça fait du bien !

Et Lapocalypse me fait ça pour rien.

Mais je ne lui demande pas souvent un massage
parce que ça me gêne de ne pas payer,
même s'il me dit des bêtises quand je lui dis
que justement ça me gêne.
Enfin…

Je dis Lapocalypse me fait ça pour rien,
c'est vrai aussi pour les autres membres
de la gang de la rue Saint-Hubert,
et pour quelques autres personnes par-ci par-là.

Ce n'est pas qu'il roule sur l'or,
mais il fait au moins cinq massages par jour,
à 30 $ du massage, 5 jours par semaine, parfois 6,
alors il s'en tire assez bien.
Je crois même qu'il ne paie pas de loyer,
parce qu'Uredrue, elle, a de l'argent en masse,
  avec toutes ces maisons qu'elle possède,
et qu'elle lui aurait dit,
au moment où il s'est installé,

histoire de lui donner une chance
vu qu'il commençait :
— Tu ne me paies pas de loyer,
mais tu me masses quand je le voudrai,
O.K. ?

Il a accepté le marché.

Elle se fait masser une fois par semaine depuis. 20 : 55

Lundi
89-08-21

19 : 18 Hier soir avant de me coucher,
j'ai mangé un yogourt léger *Liberté* au moka, 175 g,
et cela a réglé mon cas.
Enfin…, je devrais dire : déréglé.

Voyez-vous,
je ne bois plus de café
depuis que j'ai cessé de fumer,
il y a de cela quatre ans.

J'ai cessé de boire du café
le jour où j'ai arrêté de fumer
parce que j'avais lu qu'il fallait faire ça,
dans un livre de Guy Lessonini,
avec qui j'avais d'ailleurs travaillé,
au journal,
c'est-à-dire que j'avais révisé-corrigé ses textes,
ce qui était de l'ouvrage, monseigneur,
puis j'avais lâché la job,
puis on s'était perdus de vue,
et voilà que quelques années plus tard,
fouillant à la bibliothèque,
je tombe sur
ce livre de Guy Lessonini

sur « comment arrêter de fumer »
et dans lequel il expliquait
que ce sont les trois premiers jours
les plus difficiles ;
tant qu'on avait de la nicotine dans l'organisme,
on en redemandait férocement,
or voyez-vous ?, expliquait-il,
la caféine retient la nicotine,
ça fa' que...,
si tu supprimes la caféine
les trois premiers jours où tu cesses de fumer,
 c'est le temps requis
 pour que l'organisme se purge de la nicotine,
tu n'as plus rien qui retient ce poison dans ton corps
l'élimination va plus rondement,
 you don't crave for it,
et si en plus tu bois une tonne de jus d'orange,
c'est parfait,
parce que la vitamine C accélère le processus.

J'ai donc fait ça.
J'ai cessé de boire du café pendant trois jours
qui sont devenus quatre ans.

Tout cela pour vous dire
que le petit pot de yogourt au moka consommé hier
m'a tellement fébrilisé le système nerveux
que je n'ai à peu près pas dormi de la nuit.
C'est à ce point, je vous jure,
j'en fus surpris moi-même.

Et puis l'orage s'en est mêlé,
éclairs et tonnerre en un sauvage feu d'artifice,
averses de pluie et pluies à verse,
j'ai mal dormi, ç'a'pas d'allure, j'ai mal dormi.

Aussi ai-je eu une journée plutôt mollo.
Cet après-midi,
je suis allé à la bibliothèque centrale,

sur Sherbrooke, en face du parc Lafontaine,
où j'ai ramassé le *Skeleton Crew* de Stephen King
en sa version française,
puis, étant dans le coin,
j'ai décidé d'aller chez Freddie, à son commerce,
sur Roy, près de Saint-Hubert.

J'arrive là, pas de Freddie.
C'est Bertha-Bella qui officiait,
grosse affaire blanche au-delà de la friteuse,
sous hotte grise, baguettes en main.

Je ne saurais vous dire
l'ampleur de son ravissement quand elle m'a vu,
ni son suave roucoulement.

J'ai souri timidement, si si !,
et j'allais m'asseoir,
mais oups !, elle m'a crié après.
J'étais à mi-chemin
entre elle et le fauteuil Voltaire en bout de table.
Elle m'a dit :
— Coudonc, mon beau chéri,
je me suis retourné,
tu te promènes souvent en métro, toi ?

J'ai dit :
— Oui.

Elle dit :
— Je ne sais pas si t'as remarqué
une certaine annonce de la Baie ?
Woups !, ça me disait quelque chose.
J'ai dit :
— Ça me dit quelque chose.
Elle dit :
— Il n'y a qu'un texte.
Je dis :
— Oui oui, ça me revient,
justement…

Elle me coupe le sifflet,   elle me récite l'annonce :
— Parole de président !
La Baie garantit votre satisfaction.
Nous reprendrons ou échangerons
toute marchandise
ne répondant pas à vos attentes.

Je dis :
— Oui oui, c'est ça.
Ça m'avait un peu frappé
parce que je trouvais cela anachronique.
Depuis toujours, il me semble,
les grands magasins pratiquent cette politique.
Je me demandais c'était quoi l'idée
d'en faire tout un cas,   all of a sudden.

Elle fit des airs,
des tss tss tss,
comme si j'étais le dernier des épais.

Elle dit :
— Moi, j'étais assise et je lisais ça,
les placards publicitaires en question
se trouvaient dans les wagons mêmes,
et c'est la toute première ligne qui a déclenché
l'éclair de génie,   si je puis dire ;
ici, elle rougit un peu ;
je lisais « parole de président »
et je me suis dit :
si un président de compagnie
peut tenir un tel discours,
est-ce que le président d'une société,
j'entends d'un peuple, d'un pays,
est-ce que le président d'une société, donc,
ne pourrait pas en faire autant ?
Mais alors,
quel serait exactement son discours ?

Elle me posait la question.

Je la regardais les yeux plissés,
comme attendant d'elle une énormité.
Elle ne s'en formalisa pas.
Elle ne tenait pas plus que ça à ce que je réponde.
Ça se voyait dans sa face
qu'elle avait une réponse toute crachée.
Elle dit :
— Voici :
mais oups !, elle dut relever vitement
la clayette d'immersion
qui retenait pleinement plongées dans l'huile
la grille de schnolles au miel qu'elle cuisait,
puis s'agiter des baguettes, placer tout ça,
puis poser les baguettes sur l'égouttoir,
puis y prendre les linges gras servant de poignées,
puis sortir de l'huile la grille de beignes
et tout poser ça là,
pour finalement résumer, l'air un peu sentencieux :
— Voici donc :
Parole de président !
La *société* garantit votre satisfaction.
Nous reprendrons ou échangerons
toute *structure*
ne répondant pas à vos attentes.

Et elle eut l'air complètement ravie.

Moi, dans ma tête, je me disais :
« Oh boy ! Oh boy !-Oh boy !-Oh boy ! »,
et je suis allé m'asseoir. 21 : 05

Mardi
89-08-22

09 : 18 Pendant ce temps-là,
elle s'est mise à mieller ses beignes.

Après quoi elle s'est retournée,
allée se laver les mains à l'évier-cuve en inox,
au fond contre le mur, assez central,

juste à gauche de la porte
qui ouvre sur l'arrière-boutique
dans laquelle elle s'engouffra ensuite,
mais pas longtemps.

Au moment où elle en ressortait,
Leonard Cohen se mettait à chanter *Suzanne,*
who is half crazy, everybody knows it by now.

Bertha-Bella vint à sa table de travail
couper encore une grille de schnolles ;
elle me faisait face,
  au-delà du muret qui divise le commerce en deux,
  et au-delà de la table sur laquelle elle travaillait ;
elle souffla souffla, coupa, puis me demanda :
— Et pis ?

Je dis,   surtout pour la piquer :
— Je comprends que tu puisses
   reprendre ou échanger une marchandise.
   Mais une structure !   ? ? ?
   Comment tu reprends ça, une structure ?

Elle me jeta un regard noir,   et elle se fâcha :
— Tu la reprends ! Un point c'est tout,
   esti d'gnochon !
   Si quelqu'un se plaint
   de ce qu'une structure l'achale,
   tu la reprends !, la câlisse de structure :
   tu l'enlèves de d'là !
   Ou alors tu l'échanges.
   Et échanger une structure,
   mouflon du saint-ciboire,
   ça signifie la modifier,
   de manière à ce qu'elle n'achale plus personne.
   C'tu clair ? !

Oh boy !
Elle *steamait* par les oreilles.

Je lui dis :
— Déchauffe, ta résille va prendre en feu.

Elle dé-*steama* sec,
comme un ballon qui se dégonfle,
mais au bout de la dégonfle
elle me lança la schnolle qu'elle venait de couper,
et c'est alors que Freddie entra :

— Une balle !,
dit-il, voyant qu'elle m'avait manqué,
puis il vint à ma gauche
se pencher devant la fenêtre
ramasser au plancher la schnolle effoirée
qu'il alla jeter au pied du muret
dans un petit panier près du comptoir à café,
après quoi il revint se faufiler
derrière sa table seigneuriale,
s'asseoir au centre sur le banc d'église,
à ma droite.

« Ô sisters of mercy » chantait Leonard,
et Freddie se promenait la tête
d'un bord et de l'autre,
de moi à Bertha-Bella, allant-venant, allant-venant,
disant enfin :
— Vous êtes incorrigibles, vous deux.
Toujours en train de vous pomper, han ?
Puis il s'appuya contre le mur,
souriant grand, souriant grand grand.
Il dit, dans le vide, vers le centre du commerce :
— The fun of life, ça :
throwing the doughnut.

Puis il me regarda, regarda Bertha-Bella,
leva l'index droit, gravement,
nous regarda encore l'un et l'autre,
et dit, comme nous révélant le secret des secrets :
— Throwing the dough, nuts.

Et il sourit d'une oreille à l'autre,
se recalant contre le mur.

Bertha-Bella me fit signe,
de l'index contre la tempe,   disant :
— Il a beaucoup travaillé des méninges,
  ces derniers temps.
  Ç'a dû l'épuiser un peu.

Freddie lui sourit, l'air béat,
l'air inatteignable.

Bertha-Bella dit :
— Je lui parlais de ma théorie du président.

Il dit :
— Ah !

Il se tourna vers moi,   il dit :
— Brillant, n'est-ce pas ?

Je haussai les épaules,   l'air dubitatif.

Il dit :
— Comment ! Tu ne trouves pas ça génial ?

Je dis :
— Hôi !,   tu lui renvoies l'ascenseur.

Il dit :
— Pantoute !
  Je trouve qu'elle a touché du doigt l'essentiel.
  Un président,   et son équipe,
  et ses ministres,   et leurs ministères,
  et toute la câlisse de gang,
  ce n'est vraiment que ça qu'ils ont à faire :
  voir à ce que
  les structures sociales que l'on se donne
  ne lèsent personne,
  de quelque manière que ce soit.

Et quand ça lèse, on enlève ou on modifie.
Pas de chichi.
C'est strictement et c'est fondamentalement ça,
la job d'un président.

Je dis :
— C'est simpliste.

« So long, Marianne », chantait l'autre…

Freddie se tapa dans le front de la main gauche,
disant :
— Évidemment !
Monsieur est un écrivain.
Si on dit la politique en moins de deux mille pages,
ça vaut rien. On sait ben…

Je soufflai, soupirai,
Freddie disant à Bertha-Bella :
— *Pitch*-lui donc une autre schnolle,
ce qu'elle fit prestement,
m'atteignant,
m'atteignant, la saint-sacrament,
dans la région du cœur,
sur ma chemise noire,
belle tache blanche et traînée de farine
jusque sur mon jean noir, cuisse gauche.

Freddie rigolait,
Bertha-Bella rigolait,

I was not going to be unkind. 11 : 08

Mercredi
89-08-23

11 : 11 Hier soir au *Lézard,*
c'était soirée western.

Tout de suite au rez-de-chaussée, on trouvait,
sur la porte colorée et sur la cloison, à droite,
deux épis de maïs plantés là avec art,
  l'enveloppe ouverte, comme un profond décolleté,
  exhibant leurs jaunes grains pétant de santé,
disposés en un V très dégagé
dont l'entrejambes était joliment décoré
des panicules terminales des tiges
dont le brun rouge des spicules
produisait un très beau contraste,
with this yellow and green, you see… ?

En haut à l'étage,
au bout de l'escalier, quatre pas à gauche,
quand tu rentrais vraiment dans'place,
t'avais quasiment l'impression de pénétrer
dans un véritable champ de blé d'Inde.
Il y en avait partout
de ces longues tiges de maïs panachées
qui portaient même leurs barbus épis enrobés
à l'aisselle de leurs feuilles engainantes.
  Il y en avait plein
  pognés après les piliers et les faux piliers,
  tapés aux enceintes acoustiques
    sur les quatre coins de la piste,
  fixés tout le tour de la mini-scène,
  que c'en était agréablement dépaysant.

Au-delà de la table de billard,
au pied de la murale des peintres,
autour d'une géante marmite sur brûleur à gaz,
derrière de petites tables de service,
la gentille fille du vestiaire,
  les cuisses à l'air,
    fort jolies,
et quelques compagnons,
  les cuisses en pantalons,
épluchaient les fruits non défendus
qui plus tard seraient offerts et non vendus.

Vous dites ?

C'est pas un fruit, c'est un légume.
Vous avez parfaitement raison, vous là.
C'est une céréale.

Enfin…

Danse danse,
j'ai mangé mon épi,
tout en dansant, sur le devant,
et j'ai bien fait ça, je vous l'assure,
le tenant souvent à deux mains,
le mangeant quasiment grain par grain.

Je dois aussi vous faire un aveu terrible.
Hier soir au *Lézard,*
j'ai dansé sur une toune de Michèle Richard.
Les boîtes à gogo.
Que dis-je, une ? !
Plutôt deux.
L'autre, encore plus archaïque.
Une toune western.
Qui peut-être s'intitulait *Revenant* ou *En revenant.*
En tous cas, elle datait de l'ancien temps.
Comme vous voyez, il y a au *Lézard* un disc-jockey
qui est un grand explorateur des temps anciens,
et un joyeux farceur,
si vous prenez encore en considération
que pas plus tard que la semaine dernière
je dansais aussi *Nous on est dans le vent*
de l'impeccable Pierre Lalonde.

N'importe quoi pour se bidonner, han ?

Enfin…

Vers la fin,
vers la toute fin,
sur la mini-scène enmaïssée,
j'ai dansé avec Larousse et je l'ai touchée. 12 : 45

15 : 23 Elle portait un corsage-culotte à bretelles noir,
une jupe à fronces crème   tachetée de noir
qui lui arrivait aux genoux,
et des souliers que je n'ai pas remarqués.
Ses cheveux roux étaient attachés à l'arrière,
assez bas, en queue de cheval pas très longue.

Elle était montée plus tôt une première fois,
et nous n'avions que roulé un peu autour
l'un de l'autre.
Elle était retournée sur la piste,
une danse ou deux,
puis de retour,
je l'aide à monter,
on se roule encore autour ;
à un moment donné, elle danse sur le devant de la scène,
je suis derrière,
je mets mon index droit sur sa sixième dorsale,
  or thereabout,
je le laisse là un petit moment,
elle ne se pousse pas,
mais elle semble trouver ça un peu bizarre,
et tantôt elle me fera plus ou moins la même chose,
  le doigt dans le dos, un petit moment ;
en attendant,   on se pogne les mains,
tâtonnamment,
on se teste les épaules,
on se brasse les bras,
comme des bielles de locomotives,
et mes mains s'agitent,   la droite surtout,
mes doigts frétillent,
je lui fais du   la bébitte a'monte, a'monte
sur le bras gauche et puis sous,
sous sous sous jusqu'à l'aisselle,
op, en dessous, par en arrière, remonter,
sur l'épaule,   frétille frétille,
elle tournoie,
je pose la main sur le dessus de la tête,
elle trouve tout ça un peu bizarre,
mais coudonc, chose,

c'est mieux qu'une poignée de vent,
aussi s'y frotte-t-elle de temps en temps,
mais le dernier service a déjà été appelé,
tout s'achève,
la musique crève,
mais le public en redemande,
alors le D.J. raconte dans son micro
qu'il nous présente une toune extraite d'un album
qui est encore tout neuf,
« j'vous dis, j'viens juste d'enlever le cellophane »,
et il nous fait jouer *Bye bye mon cowboy* de Mitsou ;
un joyeux farceur, je vous disais,
un très joyeux farceur,
enfin...,
Larousse et moi, là-dessus,
on s'est rejoints de la cuisse, mais pas du pubis.

Quand plus tard je suis sorti,
après m'être rafraîchi et désaltéré,
j'arrivai en bas sous le porche et oh !,
Larousse était là, à droite tout à côté,
en train de défaire la chaîne
qui retenait son vélo bleu au lampadaire gris-beige.
Je la saluai,
bla bla bla, nous parlâmes,
elle me demanda si je voulais aller prendre un café,
plus haut, coin Mont-Royal.
J'hésitai à peine,
je dis non,
un peu mal à l'aise,
je tendis la main droite
et lui *squeezai* un peu l'épaule gauche.
Elle était déjà sur son vélo.
Elle s'avança vers la rue.
Je dis :
— Tu viens souvent.
Je l'avais déjà vue.
Elle dit :
— Les mardis, oui.
Je dis :

— On r'dansera.
Elle dit, mais un peu faiblement :
— On r'dansera..., oui.
Mais elle semblait un peu déçue.

Je me suis t'en r'venu. 16 : 19

Jeudi
89-08-24

14 : 41 Je suis crevé.

Bon dieu qu'je suis crevé !
Mal partout, le corps faible.
L'esprit éteint, le souffle court.
Gnan gnan gnan.

Pas le goût d'écrire.
Je vais aller à la bibliothèque.
J'y suis allé hier, incidemment,
pour retourner la version française de *Skeleton Crew*
parce que je me suis rendu compte
que je l'avais lu dans sa version originale.
Blimey !, ben oui.

J'ai sorti, à la place,
Les talons cubains de Lise Daoust,
et deux polars,
Un linceul n'a pas de poche d'Horace MacCoy,
et *La mort à grandes guides* de John Douglas.

Bye. 14 : 52

19 : 59 Hier soir au *Lézard,*
on avait encore pavoisé de blanc,

mais plus finement,
principalement autour de la piste.
Ça pendait du plafond, quasiment comme des rubans,
sur le grand côté de la piste le plus rapproché,
mais aux coins seulement, et en coin,
sur deux faces des faux piliers.

De l'autre côté,
la mini-scène était aussi bien habillée.
Une tenture, étranglée haut, à 45 cm du plafond,
auquel elle était fixée en éventail, à trois points,
tombait devant chacun des deux montants du fond
en s'évasant légèrement, jusqu'au plancher de la scène.
Celle de droite était or, bigarrée noir,
celle de gauche, rouge, bigarrée noir.
Ça faisait chic, j'vous mens pas, ça faisait chic.

Devant les montants du devant,
ça avait plutôt fait clic.
Deux mannequins tronçonnés montaient la garde.
Il ne leur restait que jambes et bassin,
enrubannés serrés de bandelettes blanches.
Ils n'étaient pas encore tout à fait morts
car une trochée de palmes de plastique vert
leur poussait du bassin, ombrageant l'handicap.

Hance Iva-Novitch allait encore sévir.

Deux fois seulement.
En madame-ci et en madame-ça.
Puis s'en alla.
Non sans qu'une danseuse flaillée court vêtue,
les cuisses à l'air dans le cuir noir
et les seins offerts en cuirette blanche
n'ait tenté de lui manger la graine,
right there on the floor
où il-elle s'était aventuré-e parmi les danseurs.
Mais je ne peux pas jurer,
j'ai pas bien vu.

A wild beauty, cette danseuse.

Plus tard, un peu plus tard,
vers la fin de la nuit,
elle dansait sur la mini-scène,
et, discrètement, très discrètement,
m'étant amené dans le fond,
je suis monté derrière elle.

Elle dansait sur le devant,
sur le podium abouté à la scène,
et moi je dansais à l'arrière.
Elle se tournait parfois,
elle se pognait après les deux montants,
bras en croix,
dansant dansant,
sexy hot piece of a woman ;
j'étais tout près,   je la regardais,
j'étais tout prêt,   elle ne me regardait pas.

Transe transe transe,
transpiration, c'est tout ce qu'il y eut,
alors que pourtant l'arrière-bar s'était bondé,
comme s'il y avait eu quelque attente.

Parlant d'attente,
un peu plus tôt,
entre les deux chansons d'Iva-Novitch,
j'étais aussi monté sur la scène,
sur un deuxième podium,
  abouté au côté droit de celui abouté à la scène,
  ce qui lui fait faire un petit L,
et je dansais donc depuis un moment,
sur cette aile droite,
quand un jeune couple assis encore plus à droite
sur le haut banc contre le mur du fond de la piste,
se mit à crier quelque chose,
à le crier, à le crier et à encore le crier,
que je finis par me rendre compte
que c'est à moi qu'ils s'adressaient ;

mais j'avais beau tendre l'oreille,
je ne saisissais pas ce qu'ils disaient ;
ils répétaient ils répétaient,
ce qui fait qui fit que je descendis,
aller tendre mon oreille droite à la fille
qui cria dedans le message conjugué :
  À poil ! À poil !

J'éclatai de rire,   elle aussi, son t'chum aussi.

C'est tout.

Enfin...

J'ai vu Beaublonde, hier soir au *Lézard,*
de noir vêtue,   à peu près mêmement, but for the top,
un pull à manches longues et petit collet droit.

On ne s'est pas trop approchés l'un de l'autre. 21 : 43

Vendredi
89-08-25

09 : 15 Lubréole vient de me téléphoner.

Me demander si j'avais du bouillon de jambon,
de quoi lui faire deux bonnes bolées de soupe.

Je lui ai dit que ça tombait bien,
j'avais justement fait cuire un jambon mardi dernier.

Elle va venir dîner.
Elle finit à midi, les vendredis.

Depuis quelques jours,
le thermomètre chute à 10-11-12°C la nuit venue,
ce qui donne des matinées plutôt fraîches.

But the sun is shining,
le ciel is blue
et c'est bien certain que Lubréole
va m'activer les gosses in her own way. 09 : 26

16 : 56 Hum...,
elle ne m'a pas activé les gosses.

Ou si elle le fit, ce fut très subliminal.

Elle est arrivée vers midi trente-cinq,
par l'arrière,
elle a fait « coucou ! »
à travers le grillage de la porte extérieure,
 l'intérieure étant ouverte
 contre la cloison de la salle de bains,
puis elle est entrée,
un petit sac de papier brun à la main,
un petit sac de cuir noir à l'épaule gauche.

J'étais penché au-dessus de la cuisinière,
 lui présentant mon profil droit,
en train de mettre les pâtes dans la soupe :
 petites coquilles et ditali.

Je l'ai saluée vitement,
me mettant à brasser ma soupe
pour pas que les pâtes pognent dans le fond.
 — How's your French ? —

Elle a fait deux pas un peu obliques à sa droite,
puis un autre à droite, perpendiculaire à ceux faits,
et elle a posé son petit sac brun
sur ma petite table qui était à ma droite,
à côté de l'assiette de
— Oh !,
qu'elle a dit :
 des tomates vinaigrette !

Je brassais ma soupe.
Je lui dis :
— Goûte.

Elle se pencha sur la table,
prit un couteau et une fourchette,
se trancha un petit morceau qu'elle amena à sa bouche.

Elle dit :
— Wouâw !, c'est bon, ça,
et elle tomba dans le plat.

Non sans s'être tiré la chaise,
  en tubulure chromée et en cuirette turquoise,
qui se trouvait à sa droite contre le mur,
sous un petit cadre ancien rectangulaire debout
présentant en scène bucolique
deux petits oiseaux grassouillets
perchés sur une branche fleurie.

Tout en continuant de brasser la soupe,
et en mangeant à l'occasion un morceau de tomate,
j'expliquai à Lubréole que ma vinaigrette consistait en
  mayonnaise, moutarde de Dijon,
  vinaigre de vin et basilic,
que c'était une recette de l'une de mes belles-sœurs,
qui, elle, utilisait
  de la crème de campagne plutôt que de la mayonnaise,
  et du persil plutôt que du basilic.

— Et sais-tu,
lui dis-je,
    qu'on appelle basilic
    un grand lézard   voisin de l'iguane,
    à crête dorsale écailleuse,
    de mœurs semi-aquatiques,
    vivant en Amérique tropicale,
    et long de 80 cm, ce qui fait plus de trente pouces ?

Elle dit :
— Wouack !,
et grimaça.

Je servis la soupe, je m'assis,
et puis je poursuivis :
— Et sais-tu que,
toujours selon le Larousse,
basilic a comme synonyme *pistou*
qui est un potage provençal lié par de l'ail pilé,
et aromatisé au basilic ?

Elle dit :
— Yaaak !, un potage lié par l'ail,
il doit y en avoir une tonne ?

Je haussai les épaules.
Je dis :
— Parlant de pistou…,
et je lui racontai ma visite à l'hôpital,
parce que je ne l'avais pas vue depuis.

Elle bougonna.
Elle sacra là sa cuillère en me disant,
boucanant plus que sa soupe :
— J'aime pas ça entendre parler de pustules
quand je mange de la soupe rouge
avec des affaires blancs qui flottent dedans !

Je dis :
— On dit *des affai[illegible] blanches*.
Elle dit :
— Fuck you !, je m'entends.

Je ris et je m'excusai,
reconnaissant mon indélicatesse.

Oh boy !
Elle est belle quand elle boucane, Lubréole.
T'as presqu'envie de rajouter une bûche.

Mais je me retins.
Deux secondes.
Je dis :
— Allez allez, mange tes boutons,
et elle tomba quasiment en bas de sa chaise.
De découragement.

Mais elle se ressaisit
et nous consommâmes.

Elle était fort jolie, as usual, Lubréole aujourd'hui.
Elle portait une courte jupe vert bouteille
taillée dans un coton épais, froncée à la taille,
un chemisier crème finement rayé noir,
un spencer noir très élégant,
un collant noir encore, et dans les pieds,
j'ai pas remarqué.

Moi, j'étais tout de noir vêtu, en souliers gris.

Elle avait apporté, dans son petit sac brun,
deux danoises et deux petits pains au chocolat
achetés chez *Écono-Fruits* sur Roy en s'en venant.

Nous consommâmes. 18 : 52

Samedi
89-08-26

14 : 10 Il y avait du monde !, hier soir au *Lézard,*
mon dieu qu'il y avait du monde.
Et il faisait chaud !, mais chaud !...

Pourtant à l'extérieur, c'était frais.
Passablement frais.
Même que j'avais mis ma veste militaire kaki,

genre un peu saharienne, sans la ceinture,
à manches courtes,
avec quatre grosses poches soufflets,
celles de la poitrine
légèrement inclinées vers l'intérieur,
ce qui était très intelligent
vu que lorsque l'on fouille,
disons dans sa poche de poitrine droite,
on le fait généralement avec la main gauche,
qui s'amène de haut en bas obliquement,
et op !, r'garde donc ça,
la poche va dans ce sens-là…,
par-dessus mon T-shirt à vulve framboisée.

Inutile de vous dire qu'après une heure de danse,
j'ai dévesté.

J'ai posé là ma veste sur la grosse enceinte noire,
dans le coin droit de la piste, au fond.

Précédemment, j'avais fait quelques danses
sur le podium du fond,
à côté de la déesse aux seins noirs pas de tête.

Je ne vous ai pas encore dit ça,
qu'il y a au *Lézard,*
au mur noir du fond de la piste, un peu à droite,
une immense sculpture en papier mâché peinte noire,
représentant une femme de la taille à la tête, nue.

Quand j'ai commencé à aller au *Lézard,*
l'hiver dernier,
la déesse aux seins noirs avait une tête,
celle d'un animal à cornes.
Elle avait un museau solide, carré,
un peu celui d'une vache,
mais en beaucoup plus allongé.
En fait, ce que je trouve de plus ressemblant,
museau et corne inclus,
c'est le bubale,
un genre d'antilope africaine à cornes en U.

Je ne sais pas ce qui s'est passé au juste,
un ivrogne, un dément, ou je ne sais quoi,
mais une semaine ou deux plus tard,
j'arrive et je trouve la déesse
décapitée de sa belle tête d'animal.
En lieu et place, on avait *tacké* sur le mur
un Smiley en papier goudronné,
  aux traits blancs sans relief,
  l'œil gauche en étoile.
Enfin...

Je ne sais pas pourquoi je vous parle aujourd'hui
de la déesse   décapitée si lointainement hier.
Ah !   Si.   Peut-être.
Je dansais sur le podium du fond,
tout à côté d'elle,
et tout à coup,   j'ai pensé à elle,
j'ai pensé à sa tête perdue,
à cause de la manière même dont je dansais,
les bras en l'air et s'agitant, la tête entre,
j'eus soudainement l'impression,
  fugace mais claire,
d'avoir une tête à cornes,   un museau, un mufle.

Ah ! bubale bubale bubale,
  what strange things happen to you
  in the colorée darkness of the *Lézard*.

Toujours est-il que
après avoir enlevé et déposé ma veste militaire,
je suis revenu de quelques pas au cœur du monde,
danse danse, dansant dansant,
j'ai fini par rouler du cul bien pesamment,
avec la grosse fille en robe longue turquoise
qui en avait un trois fois plus gros que le mien.

Ça faisait déjà plusieurs fois
qu'on se tamponnait délicatement,
et moi, j'avais profité de ces heurts en douce,
pour lui passer la main par-ci, l'épaule par-là,

ce qui nous avait permis
d'échanger quelques grands sourires,
et de nous laisser aller à quelques hardiesses,
jusqu'à ce que l'on se pogne du cul d'aplomb,
cul à cul vraiment,
et pousse et roule et roule et pousse,
monte et descends, danse et ressens,
… une belle petite passe de l'*ass* et de l'être
qui n'aurait pas déplu à Lapocalypse.

Pas longtemps après,
la grosse grande fille en robe longue turquoise
est montée sur le podium de la déesse
où elle dansa un bon petit bout de temps.

Moi, j'ai fini la nuit sur la mini-scène,
dix danses en ligne, douze peut-être,
quelle ambiance,
la piste pleine et le bar plein,
même que vers la fin,
nous étions trois-quatre, quatre-cinq,
à danser sur la mini-scène.

Watch out,
le *party* va finir par pogner pour de bon. 15 : 57

Dimanche
89-08-27

19 : 06 Christ !
Du gériboire du saint esti du saint câlisse !

Va falloir élucider ça un jour
cette histoire de sacrage.

Va falloir élucider.

Élucider, je dis bien.
C'est pas trucider, ça.

Élucider, ça veut dire
débrouiller la complexité de quelque chose,
éclaircir, expliquer.

Hostie ! C'est pas compliqué.
Pourquoi, justement, un *hostie* ici et non un *esti* ?
Et pourquoi pas un *tabarnak* bien sonné ?
Et justement ici encore,
pourquoi un *tabarnak* bien sonné
plutôt qu'un *tabernacle* cul d'poulé ?
Et là, là encore,
pourquoi un *tabarnak* bien sonné est-il impressionnant,
alors qu'un *tabernacle* cul d'poulé est risible,
si tant risible
qu'on imagine tout de suite Paul Buissonneau
tabernaclant justement,
les joues rondes et les lunettes étonnées ?
Pourquoi, han ? Pourquoi ?

Pourquoi un saint câlisse, là-haut,
plutôt qu'un saint ciboire ?
Et pourquoi ce Christ ! retentissant dès l'entrée ?

Pourquoi pas *calvaire* ! ?
Ou pourquoi pas *viarge* ! ?

Le contrat vous tente ?
Allez.

Il a fait beau aujourd'hui.
Partant de très frais le matin,
puis s'échauffant pas mal par la suite,
pour retomber tranquillement
avec le soleil s'en allant.

Je suis allé dîner chez ma mère,
  de boulettes de viande au riz en sauce tomate,
  avec patates pilées, brocoli, carottes et céleri,
  deux tranches d'une tomate de ses snoros,
  et pour dessert,
  un morceau de gâteau renversé aux pêches, et/avec
  une pointe de tarte au *coconut*
    avec crème fouettée dessus et *coconut* grillé.
Comme elle manquait de lait,
elle m'a servi une coupe de *costade* au *coconut,*
  avec crème fouettée dessus.

Ah ! Vous vous doutez peut-être
que le réviseur en moi gémit.
Laissez laissez,
the coco-nut custard was delicious
et la crème coco sublime.
Pas de coco râpé grillé sur la crème de la coupe.

Ah ! Vous pensez peut-être
que mon estomac se plaint.
Pantoute.

Je l'avais un peu creusé précédemment
en remplaçant prestement
sa vieille corde à linge effilochée
par une flambant neuve en fils d'acier enduits de PVC
que j'avais achetée la veille chez *Canadian Tire*
en même temps que ce petit tendeur de corde
  genre mini-treuil,
qui simplifie énormément l'installation d'une corde
tout en en garantissant
l'aisance du contrôle de tension.
  — Item 42-8924-4, if you wish… —

En revenant vers quinze heures trente,
  je suis revenu à pied,   il faisait beau,
surprise en arrivant !,   coucou !,
Lapocalypse m'attendait,
assis sur le balcon, les pieds dans l'escalier,
  une petite affaire de trois marches.

Il s'est levé quand il m'a vu arriver.

Oh lala !
Quel chic !

Il portait un pantalon pâle gris kaki,
  quelques pinces à la taille,
  lousse du bassin et tombant bien,
  revers moyens,
s'écrasant un peu sur des souliers noirs bien vernis,
vous savez ?, ces fameux souliers à bout fleuri
qui reviennent à la mode depuis quelques années,
qui sont un peu lourdauds d'apparence,
  à cause de leurs semelles débordantes,
et qui sont pleins de piqûres et de perforations ?
Eh bien,   monsieur Lapocalypse avait ça dans les pieds
et ne semblait pas du tout malheureux.
Il portait aussi un veston de lainage noir,
  à trois boutons,   non boutonné,
  à revers crantés moyens,
  grandes poches plaquées sur les côtés, coins arrondis,
sur un gilet de tricot de laine noir,
  à encolure en V,
  et boutons nickelés sculptés,
par-dessus une très belle chemise
kaki pâle rayonnant faible vert
  à motif *paisley*   — on dit à motif cachemire,
    au cœur kaki foncé
    et au pourtour brun rougeoyant,

et une cravate noire.

Maman ! Quelle élégance.

Je trouvais, quant à moi,
que le gilet de laine,   en ce temps-ci,
c'était un peu forcé,
du moins dans l'après-midi.
Je suis bien obligé de reconnaître
que le soir venu cependant,   depuis quelques jours,

un gilet de laine s'endure très bien,
même sous un veston de lainage.

Enfin…

C'est un très bel homme, Lapocalypse.
Je dirais, pour le décrire, que c'est un mélange
du chanteur David Bowie et du peintre Richard Montpetit.
Ça vous dit un peu la gueule de mannequin qu'il a.

Évidemment,
quand il porte ses lunettes triangulaires,
ça lui *weirdise* le look un peu pas mal,
mais ça ne le défigure pas, loin de là.

Enfin…

Il me tendit la main.
Oh !, le sacrament. 21 : 33

Lundi
89-08-28

19 : 10 J'éloignai prestement la mienne,
me la remontant, fermée, contre la poitrine,
en geste protecteur.
Il eut l'air étonné,
puis pouffa de rire
devant mon attitude retenue apeurée.

Il dit :
— *Come on.*
Je dis :
— Laisse faire,
ma main ouverte contre ma poitrine
se refusant à lui,
mon épaule droite tendant vers l'arrière,
y amenant ma main.

Il eut l'air encore étonné,
comme n'en revenant pas,

avec toujours une petite envie d'en rire.
Il tendit davantage sa main vers moi,
mais la tournant, paume offerte,
en me regardant,   en insistant,   en soufflant.

Je levai agitai non la main gauche,
non non non non,
reculant encore plus la droite,
puis je tendis vers lui mon épaule gauche,
lui disant :
— Je peux te rencontrer de l'épaule.

Il figea.

D'abord il figea.
Puis il eut un petit mouvement   de rentrée de nuque,
souffla,
se redressa
détendant de moi   et s'aplombant sur lui-même.
Il recula d'un pas.
Il mit les mains dans ses poches.
Il souffla.
Il dit :
— Tu te présentais à moi,
  le geste m'est venu de te tendre la main.
  J'obéis, en ces cas-là,   tu le sais.

Je dis :
— Je sais.
  Moi, ma main s'est refusée à toi,
  no way no touch,
  et il m'est venu de te présenter l'épaule gauche.
  J'obéis en ces cas-là,   tu le sais.

Il avala sa salive.

Il eut quelques petits hochements de tête répétés,
sourit,
se retourna,
et s'en alla.

Hè…

Quand il tourna, plus haut au coin,   sur Rachel,
j'étais encore bouche bée.   19 : 44

4e MOUVEMENT

« Les poètes du mouvement lousse »

Mardi
89-08-29

14 : 40 Je suis allé chez Freddie ce matin,
vers dix heures trente,
chez Freddie *Le Beigneur inc.,* sur Roy.

Hé ! bordel de merde…,
les pellastimes, les bouldozeûrs et les gros trocks
se promenaient devant ses vitrines. 14 : 50

16 : 01 C'est bien simple,
le chantier du remplacement de l'égout collecteur
est rendu en plein devant sa porte.
La rue est éventrée sur presque toute sa largeur,
d'un trottoir à l'autre.
On a dressé, tout le long du gouffre,
une molle clôture en plastique vermillon ajouré.

Quand je suis arrivé,
la grosse pelle hydraulique Komatsu orange et bleu
achevait de vider le fond du trou,
le cul à la rue Saint-Hubert.
Le camion-benne qu'elle chargeait
était justement derrière elle,
le nez dans cette rue.
Dans le mouvement en demi-cercle
qu'elle effectuait sur sa gauche,
son bras secouait à tous coups
les branches de deux jeunes érables argentés
dont on avait protégé les troncs

en les ceinturant de 2 x 4 sur le long ;
en même temps que le bras secouait les branches,
la flèche passait bien proche
de pogner les deux fils électriques
qui couraient au-dessus de la rue.
En fait,
le conducteur de la pelle devait à tout coup,
à l'aller comme au retour,
baisser la flèche comme on baisse la tête,
pour passer sous.

Le trou vidé ce qu'il fallait,
une autre pelle s'est amenée dans le sens opposé,
une Caterpillar orange et noir,
pour pousser du godet
le colossal caisson d'acier qui était dans le fond,
alors que la Komatsu tirait dessus,
en se servant elle aussi de son godet.
Cela fait,
la Caterpillar s'est en allée,
alors que la Komatsu s'est retournée
vers une consœur Komatsu qui,
sur Saint-Hubert, la flèche vers le sud,
lui amenait une par une,
les pales blanches déposées là.

Le transport des pales se faisait
au moyen d'un câble d'acier
fixé au crochet qu'elles ont sur le nez du godet,
et qui sert justement à ça.

Ces pales blanches sont des espèces de
très longues poutrelles d'acier,
qui ont la forme d'un U très écrasé,
peu profond, très élargi, et les oreilles tendues,
qui font très certainement 7 mètres de hauteur,
et que la pelle près du trou amène une par une
pour littéralement les planter
tout le long des parois du caisson,
en se servant pour ce faire
de son godet replié par en dedans.

Et je vous prie de me croire,
ça rentrait comme dans du beurre mou.

Ces pales ainsi plantées,
à un demi-mètre environ l'une de l'autre,
formaient une palissade de sécurité
pour empêcher les affaissements.

Quand je suis entré chez Freddie,
il drom-drommait à sa friteuse
sur une toune d'ELO dont j'ai oublié le titre.

Je lui dis, enthousiaste :
— C'est impressionnant
comment ces gars-là peuvent travailler délicatement
avec leurs grosses machines effrayantes.

Il dit :
— Tiens, t'as remarqué ?
T'as bien raison, mon vieux, c'est impressionnant.

Ça m'impressionne aussi ben gros les oreilles,
et l'odeur du diesel brûlé
ne cesse de m'impressionner le nez.

Je dis :
— Ah ! faut souffrir pour être beau,
et tu vas avoir bientôt un beau square,
avec une belle fontaine,
de beaux pavés et de beaux lampadaires...

— C'est ça, c'est ça,
coupa-t-il :
et des fleurs et de petits oiseaux,
peut-être même un ruisseau,
y'a rien d'trop beau pour un fond d'square.
... On verra ça quand tout sera là.

Et bla bla bla, bla bla bla bla,
je suis resté là environ une heure. 17 : 53

Mercredi
89-08-30

09 : 54 Ah !, aujourd'hui je suis un homme heureux.
Si si, j'vous dis.

Hier soir au *Lézard,* c'était fabuleux.
Marthe Garine
qui ne passe jamais dans le beurre,
m'a acquiescé et on s'est serré-crocheté la main.
Mado Lamotte elle-même m'a serré la main
et elle m'a dit « je t'aime ».
Je dis « serré la main », mais entendons-nous :
gouzi gouzi, you know.
Mado Lamotte au bout de la nuit
c'est un ti-cul pas bien grand pas bien gros
mais sympathique — oh lala !,
comment je fais pour savoir ça ?,
qui porte des verres fumés
et qui fait pipi dans les toilettes des hommes
comme tout un chacun.

Hier soir au *Lézard,*
en plein sur la mini-scène,
y'a encore une femme qui a essayé
de me rentrer dans le pénis avec son cul.
Mais on ne s'est pas bien entendus. 10 : 17

10 : 30 Enfin...
Je vous disais que hier soir au *Lézard*
c'était fabuleux ;
je parlais du décor.
Éblouissant !
Splendide !
Ahurissant !
Wouâw-wouâw-wouâw-rant.
Somptueux et quoi encore ?
C'était mise en branle d'un Woodstock revisité.
Aussi étions-nous accueillis
à quelques pas de l'entrée, devant le pilier

qui avait été zébré blanc et noir,
ainsi que l'étroite tablette s'allongeant derrière
et portant, tout contre le dos du pilier,
une de ces petites machines d'amusement électronique
qu'on retrouve sur les comptoirs de bien des bars,
bref,
nous étions accueillis par l'effigie d'un hippie,
un grand blond aux cheveux lousses
portant jean, évidemment,
veste moirée rouge à manches pagode,
et qui nous recevait
le bras droit haut tendu dans les airs,
un joint entre les doigts.

Il y avait plusieurs de ces effigies d'hippies
taillées dans des panneaux de *masonite*
et qui faisaient un bon deux mètres de hauteur.
La deuxième,
fixée au faux pilier sur le coin gauche du podium
au centre du premier grand côté de la piste,
représentait un guitariste cheveux noirs vaguant,
la guitare dans le vent.
Le troisième hippie,
efféminé en pull noir treillis les tétines exposées,
se tenait debout bien droit
contre le montant fer-angle du premier îlot de service,
quand on s'approchait du bar,
venant de passer devant le cagibi juché du D.J.
Et puis ah !, surprise là-bas au fond,
entre la mini-scène et le bar :
John Lennon et Yoko Ono
à poil debout dans les fleurs jusqu'aux genoux.
Et quelles fleurs !
Une orgie de riches couleurs
en des formes bien chantournées bien festonnées,
si vous voyez ce que je veux dire.
Parlant de formes,
on voyait bien le zizi de Johnny
pendant sur la bourse de sa vie,
mais rien de la zézine d'Ono Yoko,

rien qu'un triangle noir,
rien que touffe et pas de peau.
J'ai noté.
J'ai pas dit un mot.

Je me suis laissé éblouir par le décor de la scène.
Superbe. 12 : 04

14 : 02 On avait orné la mini-scène
d'une espèce de balustrade
faite d'une enfilade de fleurs
toutes en couleurs, en rondeurs et en lobes,
découpée chantournée dans un panneau de *masonite,*
et fixée solidement au podium du bord de la piste
à l'aide de 2 x 4 et de 2 x 6,
que ça pouvait pas broncher.

L'effet de cette explosion de fleurs couleurs
en bas de scène, en ras de piste,
était saisissant.
Les orangés chauds et les bleus chatoyants primaient.
Le podium ainsi habillé
devenait comme un petit balcon de la scène
dominant la piste.

À l'arrière-scène, c'était encore plus éblouissant,
mais au ras du plafond.
D'abord au centre un arc-en-ciel majestueux,
enrichi de couleurs inhabituelles
tels le kaki brun et le vert lime ombragé,
aboutissait sur les côtés, hors scène,
à des espèces de bouffées de nuages suspendues,
toutes en rondeurs et en lobes, encore ici,
dans des teintes de mauve et de gris
mais poudrées d'étincelance, si je puis dire.
Et à gauche,
au-dessus de cette bouffée de nuages ouateux ouateux,
au-dessus même de la courbe de l'arc-en-ciel,
dans le firmament, en somme,
la planète Neptune en deux ceintures de satellites,

pastillée rouge, si je ne m'abuse,
disait, de façon très colorée,
que l'actualité ne passait pas inaperçue.

Je regardais ça et j'étais béat.

Puis me promenant ici et là après avoir pris ma bière,
je tombai sur une des nombreuses copies éparpillées
de la nouvelle édition du feuillet *Ça Presse*
et je lus l'intro, titre en gras :
Woodstock-Lézard
Cool — Too much — Peace — Love et Mari ?...

Où s'en va le *Lézard* ? Cette bête à la démarche souvent imprévisible nous amène dans les dédales du hippiisme défoncé. C'est connu, le Lézard s'adapte aux couleurs de l'environnement. C'est pourquoi le Lézard rallume le joint de la paix, du plaisir, de la liberté, de la franche sexualité et tant qu'à y être, pourquoi pas du voyage astral. Tout ceci bien roulé dans une musique très acidulée.

J'ai lu ça,
dans le décor flamboyant où j'étais,
et j'ai trouvé ça parfait. Ou pas loin de l'être.
J'ai arrêté de lire là.
J'ai plié le feuillet
et l'ai glissé dans ma poche arrière droite.

J'étais ravi.
La première toune sur laquelle j'ai dégelé peu après
fut *Space Oddity* de David Bowie :
« Ground control to major Tom... », doungk !...,
eh oui,
how strange... 15 : 04

16 : 10 Beaucoup plus tard,
nous avons eu droit à la seconde prestation
de l'Empire des Pires Stars

mettant en vedette Marthe Garine, la grosse câline,
Nana de Grèce, ou la planche à repasser
 avec deux *buds* comme tétés,
 et un nez et des lunettes Bourassa-esques,
Daffnée et les suprêmes,
 deux mitaines-marionnettes chantant bien,
et Hance Iva-Novitch
 en reine de l'acid queen pétée flaillée.

Nana Mou-skouri a remporté la palme
avec une interprétation tout à fait molle
et tout à fait *stiff* du *body*
du pourtant enjoué sautillant *Tournesol.*
Foule en délire cependant,
cris et hurlements,
applaudissements applaudissements ;
Mado Lamotte a bien mené la cérémonie
en jouant la hippie *stone* complètement givrée,
distribuant les je t'aime à la pelletée.

Une fois le show passé,
quelques danses plus tard,
je suis monté sur la scène,
dans le brasier de couleurs
qu'entretenaient et avivaient
les différents appareils motorisés d'éclairage
fixés là au plafond, là aux piliers.

J'y fis seul six-sept danses
et c'est en *break* entre deux d'elles
que Marthe Garine, grosse blonde de blanc vêtue,
 passant près de la scène pour aller à sa loge,
 un peu à droite derrière la scène,
 au-delà d'une porte noire dans le mur noir,
me leva le pouce en signe « tu fais bien ça ».
J'étais appuyé, les bras tendus,
au faux plafond qui chute un peu au-delà de la scène ;
je lui tendis la main gauche, paume offerte,
elle leva la sienne gauche,
nous paumâmes, puis nos doigts crochetèrent,

lock lock, good luck,
elle s'en alla en sa loge.

Après quelques autres danses,
ce fut au tour de Mado la hippie gelée
de passer par là et de m'accorder un « je t'aime ».
Je lui ai *flashé* un *smile* tout grand ouvert,
et j'ai poursuivi.

Puis je descendis.
À gauche.
J'avais à peine touché terre
qu'une belle Anglaise au sourire pepsodent
arrive presque en courant
et me demande « if I worked here ? », j'y dis « no »,
and « if she could grimpe herself on there ? »,
ce à quoi je répondis « sure »,
ce qui la déclencha sur.

Puis sa t'chum, une ethniecienne un peu mulâtre,
l'y rejoignit.
Puis moi aussi.
Je grimpai derrière elles.

Et c'est là que ça s'est produit.
Nous dansions bon,
l'Anglaise sur le balcon,
l'ethnie entre elle and me,
et rond rond rond,
elle s'est mise à rouler de l'*ass,*
et roule et roule, et tend et tend,
et même regarde vers moi par-dessus son épaule,
et j'aurais juré alors qu'elle ajustait son mouvement,
qu'elle tendait plus du cul vers moi,
hot hot, roulant,
hot hot, tendant...,
mais vous savez combien je suis prudent,
aussi je n'approchai pas trop trop mon bassin,
mais je vérifiais,
je me penchais vers elle,

je tournaillais des bras et des mains
sur les bords d'elle,
elle tendait elle tendait,
elle lascivait du *body,*
j'en étais troublé,
je me disais
« c'est évident, elle veut me rentrer dans le pénis »,
mais j'osais pas me coller sur elle,
de peur de me faire tuer
si c'est pas ça qu'elle voulait,
aussi ai-je décidé de vérifier
en la touchant plus légèrement,
disons la main sur l'épaule,
et roule et roule, et papillonne et papillonne,
woups !, je me suis posé sur le bas de son épaule,
  droite,
légèrement légèrement, très discrètement,
elle ne m'a pas tué,
elle ne s'est pas poussée,
il m'a même semblé qu'elle s'y frottait,
aussi ai-je animé des doigts,
frétille frétille, bébitte bébitte,
monte sur l'épaule, cours dessus, oups !,
pogne le cou,
mais là elle s'est mise à tortiller,
à se baisser, à s'éloigner,   à comme fuir,
butant presque contre sa copine,
que j'ai tout lâché,
ai repris ma danse,
alors qu'elle se remettait en la sienne.

Nous demeurions tout près l'un de l'autre,
aussi,   dansant dansant,   je lui dis :
— T'as pas aimé   comment je t'ai touchée ?
Elle dit :
— J'ai pas compris.
Je répétai.
Elle haussa les épaules
en un geste que je ne sus interpréter.
Mais nous dansions tout près,

nous nous frôlions,
il m'a même semblé qu'elle se réactivait de l'*ass,*
mais il ne s'est rien passé,
nous avons fini en effleurements accordés.

Ouf.

Tout aurait dû finir là.
C'était pas mal d'émotions pour une seule soirée.
Mais ce ne fut pas le cas.
Arrivé chez moi vers 03 : 51,
je sors de ma poche le feuillet *Ça Presse,*
imprimé recto verso sur trois colonnes,
et j'en viens à lire, au verso, colonne du centre,
les textes de deux petits encadrés.
Le premier, titre et texte partiel :
La Dufresne au *Lézard*
C'est maintenant chose faite, Diane Dufresne
a honoré de sa présence internationale
le local du *Lézard*. Plusieurs d'entre nous
l'ont vue swingner sur les rythmes nouveaux
de l'acid music. Paraîtrait qu'elle viendra
festoyer dans le cadre du Woodstock-Lézard.
Le second, titre et texte :
Ça grouille
Avez-vous remarqué certains individus
aux corps souples et ondulants
à l'aspect sombre et invitant
évoluer subtilement ?
Parmi la faune lézardinoise, saurez-vous apprécier
le grand talent de ces poètes du mouvement lousse ?

Éh bien, je lisais ça, à quatre heures du matin,
et ça me faisait woups ! entre les deux oreilles.
Je vous le dis bien franchement,
je me sentais concerné.

Je me disais : « Je vais montrer ça à Lapocalypse
et lui dire qu'à défaut d'être un Danseur de Vérité,
j'étais parvenu à être un poète du mouvement lousse. »

Je pensais aussi, en me couchant,
que si j'avais l'aspect clair et invitant,
plutôt que sombre,
je serais peut-être alors
un Danseur de Vérité.

Et je suis tombé comme une roche. 17 : 42

Jeudi
89-08-31

19 : 10 Hier soir au *Lézard,*
j'étais encore une roche.

Dieu que j'ai eu de la misère à lever !
Pas d'âme pas d'âme.
Pas d'âme pas d'âme.

Je traînais.

C'est bien simple,
la première toune sur laquelle j'ai vraiment dégourdi
fut *Us And Them,*
oui oui, du *Dark Side Of The Moon* de Pink Floyd.
Tu ne te mets pas à courir autour de la piste,
sur une toune comme ça, han ?

Mais tu t'étires, mon ti-gars, tu t'étires.
Et tu berces du bassin.
Et lalalalalala, mon souinsouin,
tu dégourdis tranquillement,
avec le saxo gros lolo,
et woua woua woua woua,
la danse,
ce n'est pas seulement sauter sur le plancher, han ?
Tu peux divaguer du *body* tranquillement.
C'est pas interdit.

Et tranquillement pas vite, tu chauffes.
Tu chauffes tu chauffes tu chauffes,
et ton corps roule bien.

Vous aurez compris qu'hier encore au *Lézard,*
c'était Woodstock revisité.
Il en sera ainsi jusqu'au 3 septembre,   dimanche.

Même décor.
Des fleurs de *masonite* pendant du plafond,
petites et grandes.
Lobes et chaudes couleurs.
Le fameux sigle de la paix,   du *peace and love,*
  l'espèce d'Y à trois branches,
  renversé dans un cercle,
pendait du plafond aussi, ici et là,
  en orange phosphorescent,
ou était dessiné en blanc,   en grand, sur le plancher.

À l'avant,
sur le mur de l'entrée, dominant la table de billard,
au-dessus du banc dangereux
  où tu pouvais recevoir une queue dans l'œil,
une superbe fresque
représentait un gros rigolo *yellow submarine*
et les quatre Beatles derrière.

Mais au mur noir du fond de la piste,
plus de dame noire.
Disparue, la déesse Bubale.
Complètement.
Plus une trace.

Je l'avais remarqué avant-hier,
mais j'avais tant de choses à vous dire.
Ça m'a fait un petit quelque chose,
cet effacement de la déesse Bubale,
mais qui sait,
ça laisse le mur libre
pour un éventuel effigiement

de la famille Bubale au complet,
  papa maman et les deux enfants.

Enfin...

Hier soir au *Lézard,*
j'ai souvent quitté le monde de la piste,
et j'ai souvent fait de la scène.
Je quittais le monde de la piste
parce que je n'y étais pas bien.
Je m'y rendormais.

Tard tard tard,
alors que je dansais sur le balcon fleuri,
j'échangeai deux grands sourires
avec une fille en *coat* de cuir
qui dansait juste en bas au pied du.

Son t'chum se tenait debout un peu plus loin,
à gauche, près de l'enceinte,
et souriait grand aussi de notre échange de sourires.

Une danse ou deux plus tard,
les voici qui s'amènent, elle devant,
vers le côté droit de l'arrière-scène
où je dansais très sur le bord,
et la fille alors de quasiment s'asseoir sur mes pieds,
mais je reculai,
mais, mais mais mais mais,
elle eut ce geste vif et taquin
de s'asseoir en me tassant les jambes dans le coin ;
je ris,   je me dépris,
je me penchai lui *squouizer* l'épaule
tout en m'écartant d'un pas vers le centre-scène
où je continuai à danser.

Le t'chum s'en est allé je ne sais pas où.
La fille, qui me regardait aller,
s'est levée, s'est retournée, a levé le pied,
m'a demandé de l'aide d'un signe de main,

mais déjà j'approchais, la main tendue,
prenant la sienne, l'aidant à grimper.
Cela fait, je me suis un peu tassé vers le centre.
Elle s'est installée juste à côté de moi.
Nous étions dans le fond de la scène, côte à côte.
Dansant.
Elle me regardait, je la regardais.
Elle semblait attendre quelque chose de moi.
Je tassai mon pied gauche tout contre le sien droit,
de manière à ce qu'ils s'accotent.
Danse danse.
Je collai mon épaule contre la sienne.
Danse danse.
Feel feel.
Avance, recule.
Elle avançait, elle reculait.
Je tassais à gauche, de l'épaule,
elle kantait à gauche.
Je kantais à droite, de l'épaule,
oups !, elle ne suivait pas.
Repogne l'épaule de l'épaule,
tasse à gauche, avance, recule,
monte un peu, descend un peu,
essaie encore à droite, oups !,   pas mieux ;
redresse, repogne l'épaule,
je lève mon bras gauche à 90°,   paume offerte,
elle met sa main dans la mienne,
gentille main,   douce main,   molle main,
ma droite s'avance, soulever sa main de ma gauche,
du bout des doigts,   jeux de doigts,
jeux de mains,
tout en danse, tout en frétille,
elle obéit bien, mais ça mène à rien,
je lève sa main, je la descends,
je l'avance, je la ramène,
c'est doux, c'est chaud,   c'est mou,
je tends sa main, je tends son bras, je la retourne,
nous dansons face à face,
sans que cesse le toucher,
c'est ma droite, mes doigts frétillant

qui grimpent descendent son bras gauche en cuir,
sa main gauche en doux,
je la retourne,
mes deux mains, paumes glissantes,
dansent dansent dans son dos, dans le haut,
puis le long des bras,
et mes doigts s'animent, bébitte bébitte,
picossent le cuir, en haut en haut, sur les épaules,
vers le cou,
et woups !,
je ne sais pas si la musique s'est arrêtée là,
mais elle, si,
et elle se rassit,
là-même d'où elle était partie.

Je continuai à danser et un peu plus tard,
son t'chum est venu à elle,
puis ils s'en sont allés. 20 : 58

Vendredi
89-09-01

19 : 32 Je ne sais pas si vous avez remarqué
mais nous commençons un nouveau mois.
Octobre.
Mois agité.

Je ne sais pas si vous savez,
mais octobre est le mois
de la plus grosse production de sperme chez un homme.
Les gosses bouillonnent.

On pense et on dit
que c'est au printemps que les érables coulent,
confondant la production de l'eau
avec celle de la crème,
mais ce n'est pas juste.
C'est vraiment en octobre que ça coule le plus.

D'où je tiens ça ?, peut-être demandez-vous.
D'une année sabbatique.
À un moment donné de ma vie,
j'ai été un an sans toucher femme,
et sans non plus me toucher.
Quatorze mois, pour être précis.
Mais que t'arrêtes de machiner n'arrête pas la machine.
On ne se désexue pas, à moins de se les arracher.
J'ai donc fait des *wet dreams*.
Je ne sais pas pourquoi,
mais j'ai noté
  sur un petit bout de papier
  rangé dans le tiroir de mon petit meuble de chevet,
la date, et possiblement l'heure,
de chacun d'eux.
Au bout du compte,
je pus me faire une espèce de graphique
représentant bien sur un an
mes « mouvements productifs », si je puis dire.
Or il n'y eut qu'en octobre
que je pétasse deux *wet dreams* de suite,
  une nuit après l'autre,
pour en pétasser un troisième cinq nuits plus tard.
Pour être précis aussi,
c'est vers la fin septembre
que ce bouillonnement commence.
Il y a bien une suractivité,
à un autre moment de l'année,
mais c'est plutôt au début de l'été qu'elle se produit,
autour du 20 juin.
En fait, au printemps,
l'homme est relativement tranquille en ses gosses.

Peut-être vous dites-vous
que j'universalise bien promptement
les données d'une expérience
toute personnelle et subjective.
C'est que voyez-vous,
quelques mois plus tard je trouvai chez une amie,
dans une vieille caisse de magazines,

un exemplaire d'un vieux *Psychologie*
que je me mis à lire,
tombant finalement sur un article
qui disait exactement ce que mon graphique disait.
Seulement voici,
on n'y parlait pas de production de sperme,
mais d'activité de la libido.
Cela précisé,
on y disait que contrairement à l'adage populaire
qui veut que ce soit au printemps que la sève coule,
chez l'homme, c'était plutôt à l'approche de l'automne
que le phénomène se produisait.
C'est en octobre que la libido était la plus active.
Hausse significative du taux de criminalité,
et autres choses du genre.
Il n'y était pas question cependant
du petit *peak* de juin.
Enfin...

Je ne sais pas pourquoi je vous raconte tout ça.
Quand j'ai embarqué sur la machine à écrire,
j'allais vous écrire : Il pleut.
Mais j'ai d'abord écrit la date et woups !,
changement de mois, je suis parti là-dessus.

J'allais aussi vous écrire
à propos de cette petite expression qui me hante
depuis que je l'ai lue dans *Ça Presse* :
« poètes du mouvement lousse ».

Depuis que je l'ai lue que ça me revient,
que ça me travaille,
que je trouve ça étrange,
comme étrangement très juste, mais obscurément.
Je ne sais pas si vous comprenez ce que je veux dire.
Je ne sais pas si vous avez lu mon pamphlet :
La verge marrie.
Si oui, vous devez me comprendre un peu.
Si non, voici, en très très abrégé :

Je dis dans ce petit opuscule
que le mouvement de va-et-vient,
de l'homme dans le vagin,
n'est pas le meilleur mouvement qui soit.
Il y a un autre mouvement possible
qui consiste à s'amener en dedans,
puis à ne plus bouger.
À y demeurer *lousse,* en somme.
C'est plutôt la femme qui bouge,
en roulant, en quelque sorte,
autour du pénis immobile.
Parce que l'homme est ainsi lousse
de pénis et de corps,
il l'est aussi de l'esprit — ou devrait l'être,
ce qui fait que le roulement frottant de la femme
déclenche en sa tête un film,
que dis-je, un véritable cinéma,
comme si le rêve devenait réalité,
ou comme si la réalité soudain se rêvait.
Bref,
faire l'amour ainsi est une tout autre aventure.

J'en dis pas plus,
si vous voulez creuser la question,
vous lirez *La verge marrie,*
après tout je n'en ai vendu que 3 000 exemplaires.

J'essayais seulement de vous donner le *back ground*
qui explique mieux mon espèce de trouble
face à ce « poètes du mouvement lousse ».

Anyway.

Il pleut. 21 : 16

Samedi
89-09-02

13 : 25 Hier soir au *Lézard,* je n'ai rien fait.
Enfin si, vers la toute fin.
Le *last call* avait déjà été appelé deux fois,
ou le dernier service avait été *callé* deux fois.
Je dansais sur la scène,
vers le fond du côté gauche, très sur le bord de.
Une grosse fille les cheveux très très courts,
de noir vêtue mais petit collet collier de dentelle,
qui venait de l'arrière-scène,
passe devant moi dansant
et lève lentement la main pour me saluer.
Moi je me penche, saluant, levant la main gauche,
offrant, même, ma main gauche,
ce qui l'arrêta,
l'étonna,
l'intéressa,
qu'elle leva l'autre main,
que nous paumâmes,
puis nous rapprochâmes,
moi un peu penché au-dessus d'elle,
pliant lentement des genoux,
elle, la tête un peu renversée vers l'arrière,
me fixant d'un regard tout à fait fixe,
la bouche serrée.
Elle ne souriait pas du tout.
On aurait dit qu'elle jouait à la transe.
Plus elle se tassait contre la scène,
et plus je me penchais au-dessus d'elle,
plus elle maintenait ce regard fixe de quasi hébétée,
que j'en ressentis malaise,
que je ne sus quoi faire avec ça,
que je détournai le regard,
maintenant le contact,
revenant des yeux à elle
qui se tourna, dos à la scène,
échappant une de nos mains
qu'elle travailla à reprendre,
mais en croisant ses bras devant sa poitrine,

s'assurant aussi, en regardant derrière elle,
que mes bras se croisaient également,
de sorte que ma main gauche tenait sa main gauche,
  mais au-dessus de son épaule droite,
et vice versa.
Une fois cet équilibre bien établi,
elle glissa enleva ses mains des miennes,
mais les reprit tout de suite par-dessus,
les posant sur ses épaules
que j'empoignai doucement
alors même qu'elle m'empoignait les mains fermement.
Cette prise assurée,
elle se mit à s'éloigner de la scène,
s'éloigner s'éloigner s'éloigner,
me tirant, en quelque sorte,   au-dessus de son dos,
et tire et tire
qu'elle me débarqua de la scène,
sans que j'arrête de danser,
sans que nous cessions de nous toucher ;
je l'ai même prise ensuite à bras-le-corps,
du côté droit de moi,
style « tasse icitte, mon bébé »,
que je suis pas sûr qu'elle ait aimé ;
elle s'est éloignée,
je lui tenais toujours le bras,
la musique s'est arrêtée.

Elle s'est approchée,   m'a dit :
— Excuse-moi, je suis française.

J'ai été étonné, style incrédule,   j'ai dit :
— Quoi ?

Elle a dit :
— Excuse-moi, je suis française.

J'ai dit :
— Mais t'as pas à t'excuser d'être française.

Elle a haussé les épaules,
puis s'est éloignée,
aller rejoindre un gars ou deux.

Quelle aventure !

Je suis remonté sur la scène,
et quand le bal s'est terminé,
nous étions six, je crois, à danser dessus.
Un gars et une fille
  à peu près complètement paquetés
  mais arrivant des bouts à se démener
  sans empiéter sur les voisins,
un gars et une fille pas mal *punkish,*
  la fille le crâne rasé,
    plus blanc que le cou, plus blanc que le visage,
  maquillage rouge noir insisté,
  sourire généreux
  et petite étincelance dans les yeux,
  le gars les cheveux longs,
    derrière et sur les côtés,
    quoique les tempes rasées et les dessus d'oreilles,
  amoureux,   complice,   et sympathique,
et une grande grasse fille sur le balcon,
une t'chum à eux,
  en haillons gris bleu.

J'aime ça comme ça.

People around. 14 : 30

Dimanche
89-09-03

17 : 46 Cet après-midi,   après avoir dîné chez ma mère,
je suis allé chez Freddie.

Il n'y était pas.

Bertha-Bella officiait.

Le chantier de l'égout était silencieux,
et le trou devant chez Freddie rempli de gravier.

Pas un chat dans la rue.

Quand je suis entré,
les Bee Gees chantaient
"Good morning, mister sunshine,
 You brighten up my day...",
et Bertha-Bella exulta.

J'étais son monsieur *sunshine,*
et je *brighten-upais* son day all right,
c'était évident,
rien qu'à lui voir la face
et comment elle trémoussait de ses vastes chairs.
 — Trémousser (se) est un verbe pronominal.
 On se trémousse.
 Mais on ne trémousse pas de ses chairs.
 Ce n'est pas du bon français.
 Mais c'est de l'excellent bertha-bella.
 Si j'écrivais elle se trémoussait,
 ce ne serait pas tout à fait vrai.
 Il me semble à moi
 que le *se* implique une conscience de l'acte
 de la part du sujet ;
 et non seulement une conscience,
 mais aussi une décision   presque.
 Or Bertha-Bella ne se trémoussait pas vraiment.
 Ce sont ses chairs qui le faisaient.
 Comme bien indépendamment d'elle.
 Aussi, quand j'écris
 qu'elle trémoussait de ses vastes chairs,
 il me semble que je rends beaucoup mieux
 ce qui se passait exactement chez elle. —

Moi, ça n'allait pas fort fort mon affaire.
Je boitillais un peu de la patte droite
à cause d'une semi-entorse de la cheville
ou d'une tendinite dans cette région-là,
et j'étais vanné.

Aussi levai-je la main gauche paume offerte,
pour saluer,
puis je mis mon index sur ma bouche,
lui demandant le silence,
alors que je traversai la pièce, sur le devant,
aller m'asseoir en bout de table près de la vitrine,
en ce bon vieux fauteuil Voltaire.

Quand elle m'eut vu bien installé,
Bertha-Bella parla.
Elle dit :
— Bonjour, Gaspie chéri,
et elle battit des cils.

Ô sacrament ! 18 : 48

18 : 55 Je soufflai longtemps,
puis je dis :
— Toé, ma grosse estie !

Elle rit.
Elle leva sa main gauche, baguette aux doigts,
et dit encore :
— Fâche-toé pas, mon beau pitou.

Je rigolai bien malgré moi,
puis m'abandonnai contre le haut dossier,
m'y renversant la tête,
levant levant levant du menton.

Je fermai les yeux.
J'entendais Bertha-Bella
s'affairer à sortir de l'huile sa grille de beignes.
J'arrivai au bout de ma tension de menton.

C'était comme si, à l'arrière,
l'occipital essayait de me rentrer dans la nuque.
Je soufflai long aigu,
puis je ramollis dans le fauteuil
tout en poussant un long soupir.

Bertha-Bella s'était déplacée légèrement sur sa droite,
à la table à miel
placée un peu en angle par rapport à la friteuse,
ce qui fait qu'elle me tournait légèrement le dos,
de profil gauche,
profil dont je ne voyais que le buste et la tête,
étant donné le muret et la machine à café entre nous.

Quand elle eut fini son miellage,
elle se servit un café
et vint s'asseoir avec moi à l'avant. 19 : 23

Lundi
89-09-04

13 : 55 Elle s'installa dans le fauteuil Voltaire
le plus rapproché de moi,
mais après l'avoir éloigné de la table
et orienté de manière à me faire face.

Moi j'étais assis un peu en biais vers l'intérieur,
les genoux vers l'extérieur de la table,
assis solide mais un peu croche,
l'épaule gauche comme affaissée sur le coude gauche,
qui, lui, était planté ferme
dans la manchette cuirettée de l'accoudoir,
vers l'arrière,
alors que ma main droite était posée du talon
sur la volute de bois du bout du bras droit,
que mon pied droit était posé plat par terre,
le talon légèrement à l'intérieur du piètement,
tandis que le gauche était soulevé,
reposant seulement sur le plat des orteils,
le talon également légèrement à l'intérieur.
… en mes souliers gris Wallabees.

Pour le reste j'étais vêtu de noir,
  jean et chemise à manches longues retroussées,
    les poignets battant sur les coudes,
but a white T-shirt sous la chemise
  déboutonnée de trois boutons.

Bertha-Bella s'était assise un peu penchée vers moi,
les coudes sur les volutes en bout de bras,
sa main gauche tenant sa droite
  par le dessus et par le poignet,
les pieds croisés,   le gauche par-dessus,
les talons soulevés,
  le droit légèrement à l'intérieur des pattes,
… en ses chukkas gris de farine blanchis.

Pour le reste elle était vêtue de blanc,
  salopette et T-shirt sous,
  ainsi qu'un tablier à la taille
  qui lui tombait un peu au-dessus des genoux
  et qui montrait à la ceinture une raie de graisse,
  là où elle s'appuyait contre la friteuse.

Elle me regardait de ses grands yeux globuleux,
  brun roussâtre,
derrière ses lunettes bleues,
  bleu crépuscule du Sahara,
et parallélogrammiques. 14 : 46

14 : 55 Elle dit :
— T'as l'air épuisé, mon bon ami,
et elle se cala contre le dossier,
les coudes suivant sur les accoudoirs,
ses mains se posant sur sa grosse panse,
ses pieds demeurant croisés.

Je dis :
— Hier soir je suis allé danser
    et je n'aurais pas dû.
    C'était excessif, un quatrième soir.
Puis j'étendis ma jambe droite et je soufflai.

Elle dit :
— As-tu touché ?

Je dis :
— Non.

Elle dit,
levant la main gauche, index en l'air mollement :
— Si tu avais touché,
aujourd'hui tu ne serais pas affaissé.

Je dis :
— C'est possible.

Elle dit :
— C'est certain.

Je dis :
— Ça dépend à quel point j'aurais touché.

Elle concéda :
— Ça...,
et elle s'enfonça dans le fauteuil,
étendant elle aussi sa jambe droite.

Puis elle s'étira le bras gauche vers la table,
y prit sa tasse de café,
but une gorgée,
l'y redéposa,
et me demanda :
— Est-ce que dans l'ensemble ça va bien au *Lézard* ?
Est-ce que tu touches pas mal ?

Je dis :
— Il est rarement un soir désormais
où je ne touche pas.
Mais c'est peu et bref.
Ce ne sont jamais que des flammèches.
Le feu ne prend pas.

Et je suis encore passablement pogné
dans mes peurs et mes blocages.

Elle dit :
— Ça c'est fatigant !
Aller à contre-courant de ses peurs.

Je dis :
— C'est fatigant quand tu ne les dénoues pas.
Quand tu les dénoues,
c'est incroyablement énergisant.

Elle dit :
— Je sais,
et elle se croisa les bras sur sa poitrine.

Puis elle dit encore :
— À te voir épuisé comme t'es là,
j'en déduis que tu dénoues pas fort de ce temps-là.

Je dis :
— C'est vrai.

Hier soir au *Lézard,* dès le départ,
je vis une très belle femme.
Grande et mince,
portant une petite robe noire à petits pois blancs,
moulante et à volants,
en matériel un peu soie-yant,
et à mignons mancherons.
Cheveux bruns un peu roussoyants,
volumineux mais courts,
ne dépassant pas la ligne du menton,
retenus vers l'arrière, à droite,
de façon à dégager l'oreille,
ceux du dessus allant s'empiler sur ceux de gauche,
et tout ça gaufrés, si je ne m'abuse.

Rouge à lèvres tomate,
et souliers plats.

Elle produisit sur moi un effet fou,
je te l'avoue.

Avoir été vraiment obéissant à mes élans,
je serais allé à elle et je l'aurais touchée.
Je m'y serais frotté, c'est bien certain.
Mais j'en fis rien.
Enfin...
Je la regardai quinze fois.

Moi, si je regarde une femme quinze fois,
et que elle, pas une fois en ces quinze fois
ne me regarde,
eh ben je me dis « j'ai pas d'affaire là »,
et je ne m'approche pas trop.

Mais j'ai le cœur gros.

Bertha-Bella éclata de rire.

Elle dit enfin :
— Mon Dieu qu'tu es mignon.

Je ne sais pas pourquoi,
mais aujourd'hui je te trouve particulièrement beau.

Je dis :
— C'est ça. Fous-toé d'ma gueule.

Elle dit :
— Non non non non, je suis très sérieuse.
Ça m'a frappée dès que tu es entré, d'ailleurs.
Je crois que
cela à quelque chose à voir avec tes cheveux.
Ils sont juste de la bonne longueur.
Et de bon volume aussi.
T'as les oreilles dégagées, mais ombragées,
ça t'va bien.
Veux-tu m'épouser ?

Je ris. Je dis :
— Non.

Elle dit :
— Bon,
et se leva. 16 : 08

Mardi
89-09-05

14 : 01 Elle s'approcha tout contre mon fauteuil,
à gauche,
là même où je kantais.

Je sentis son gros ventre mou
me rentrer dans l'épaule, puis dans le haut du bras.

Je commençais à tourner la tête vers elle
qu'elle m'empoigna à la gorge
de toute sa main gauche,
me tirant un peu vers le bas,
alors que sa main droite se posait crochetante
sur ma nuque.

Quand elle m'eut bien en sa droite,
elle relâcha un peu sa poigne de gauche,
et ses doigts se mirent à tâtonner ma gorge,
à droite du larynx.

J'éprouvai une étonnante sensation de fraîcheur
là où ses bouts de doigts pianotaient ;
c'était frais frais frais, j'en étais subjugué.
Mais elle cessa ce mouvement
et m'empoigna solidement le menton par en dessous,
alors que sa main droite crocheta un peu plus haut,
sous l'occipital.
Tout en m'empoignant ainsi,
elle avait avancé sa jambe gauche devant la mienne,
me barrant en place, en quelque sorte.
Là, elle tira souleva ma tête,
en un mouvement oblique haut par en avant,

lent,
pesant,
comme si elle voulait me décoller la tête de la colonne.

Le reste fut fait en un mouvement fulgurant.
Parvenue à un certain degré de traction,
elle stoppa l'effort,
puis, sans crier gare,
elle me précipita la tête contre le dossier,
a-fa-flash !,
en m'ayant pogné par la gorge pour ce faire,
alors que sa main droite derrière
remontait vivement sans laisser le contact de la tête,
au contraire, la tenant en quelque sorte orientée,
pour qu'elle s'écrase d'aplomb dans le dossier.

Je vis noir.   Et je vis quelques étoiles.
Mais cela ne me fit aucunement mal.

Je fus très étonné, cependant,   et un peu apeuré.
Elle se pencha sur moi et dit :
— Pis ?
   Veux-tu m'épouser ?

Je dis :
— Non merci.

Elle sourit.
Les dents serrées.

Puis elle se réinstalla à ma gauche,
souffla souffla et se frotta les deux mains,
après quoi elle s'empara de ma gorge comme tantôt,
m'inclina comme tantôt,
fit tout comme tantôt,
et comme tantôt ce fut frais dans ma gorge,
et comme tantôt elle me décolla la tête,
et comme tantôt, vlang !,
elle me précipita la tête contre le dossier,
sans vraiment me lâcher la gorge.

Je vis noir. Je vis quelques étoiles.
Et je vis aussi quelques petits croissants dorés.

Puis je vis la grosse face enlunettée de Bertha-Bella
et son grand sourire aux coins plissés.
Elle dit :
— Et puis ?
  Veux-tu m'épouser ?

Je hochai la tête petitement non non non non non non,
puis je dis :
— Non chérie.

Cela lui plut un peu.
Mais juste un peu.

Elle se repositionna à ma gauche,
et récidiva,
mettant tout son cœur dans le dernier mouvement,
aaa-splash !, la tête contre le dossier,
et tout s'immobilisa.

Je vis noir. Je vis bleu.
Et je vis quelques petites étoiles blanches.

J'étais encore sous l'étonnement
qu'elle me dit :
— Pis ! ?
  Veux-tu m'épouser ?

Je levai mollement l'index gauche et je demandai :
— Puis-je y réfléchir, une semaine ou deux ?

Elle dit :
J'te donne quinze jours, pas plus.

Je dis :
— Parfait.
  Va faire tes beignes.

Et elle y alla. 15 : 25

Mercredi
89-09-06

09 : 53 Je ne sais pas si vous l'aviez remarqué,
mais je me suis fourré royalement à la page 214.
Je croyais qu'on débutait le mois d'octobre,
alors que c'était septembre qui commençait.
Le pire,
c'est que je me suis rendu compte hier soir seulement,
tard, en m'en allant au *Lézard,*
de cette monumentale méprise.
Je dis *monumentale*
parce que j'étais là, à vous faire tout un *speech*
sur le bouillonnement des gosses en octobre,
et lalalalala,
eh ben !,
une chance que je m'en suis aperçu.
Et fouillez-moi comment diable,
cela a-t-il pu me venir à l'esprit,
quatre-cinq jours après,
en pleine rue Rachel, dans le noir de la nuit,
les polices en auto blanche.

Enfin…

Je m'en allais au *Lézard,* hier soir,
et je ne sais pas si c'est avant ou après
la découverte de mon erreur,
mais je pensai aussi soudainement à Bertha-Bella,
et j'y pensai comme revenant des nues.
Je ne sais pas si vous voyez ce que je veux dire.
Mais c'était la première fois que je pensais à elle
depuis dimanche.
Et je pensai soudainement :
« Sacrament !

J'ai bel et bien dit à la grosse estie
que j'y réfléchirais, à sa proposition de mariage. »

Je m'en allais sur Rachel, dans le noir de la nuit,
et je me disais :
« Comment, mais comment,
ai-je pu faire une chose pareille ?
laisser entendre à c'te grosse truie
que je pourrais peut-être dire oui. »

Ciel et pattes de gazelle !, comme dirait Foglia.
Ciel et torche d'éléphante !,
comment, mais comment,
ai-je pu laisser ce gros tas de chair pathétique
me subjuguer ainsi ?

Comme revenant des nues, je vous dis,
comme revenant des nues.
Et je marchais vite.
Et je n'y pensai plus.

C'était soirée cinéma, hier soir au *Lézard,*
dans le cadre des Mardis Interdits.
Je le savais depuis samedi,
y ayant vu une affiche annonçant la chose.
Aussi avais-je mis, par-dessus mon noir habituel,
une vieille chienne noire élimée
que Lapocalypse m'avait donnée
et qui était son ancienne chienne de soudure
du temps où il suivit un cours
de mécanique industrielle d'entretien.
Histoire de désombrer un peu tout ça,
je dénichai dans une vieille boîte à souliers
sur la dernière tablette au-dessus de ma bol de toilette
deux macarons d'œuvres de charité
achetés un jour en sortant de ma Caisse pop.
J'épinglai le plus gros, blanc et rouge,
à ma pochette de poitrine.
Il disait rondement, dans le bas, en rouge sur blanc :

LE BON PILOTE inc.
Dans le haut, il disait, en plus petit :
NOS YEUX
ont besoin de votre cœur.
Entre les deux,
l'image d'une femme aux cheveux à la Lulu,
qui guidait par la main
un monsieur chapeauté-lunetté-trench-coaté
qui tenait une canne blanche.
Le plus petit,
je l'épinglai plus haut, à l'étroit revers.
Il affichait sur fond bleu poudre
un heureux Donald Duck
les mains en l'air, les fesses à l'air,
et il disait, en rouge aussi, dans le bas aussi :
J'aide l'enfance inadaptée.
Dans le haut, en plus petit :
F.Q.A.E.I. 11 : 17

11 : 27 Intéressant, non ?
Le bon pilote, et j'aide l'enfance inadaptée.
Vous aviez remarqué l'intérêt de la chose ?
No planning in that though.
Ce qui ajoute à l'intérêt, vous ne trouvez pas ?

Enfin…

Au *Lézard,*
on n'avait rien changé du décor Woodstock.
Quand j'y suis entré, peu de monde ;
un gars s'activait au podium central du grand côté,
qui fait face à la mini-scène,
de l'autre côté de la piste,
à embobiner un film sur un projecteur
qu'on avait installé sur une petite table bistro,
elle-même grimpée sur le podium.

Entre les deux montants du devant de la scène,
on avait tendu, du plancher au plafond,
de larges bandes de papier blanc, faisant écran.

Le premier film présenté en fut un de Charlie Chaplin,
et je me mis à danser,
  dans la moitié du fond de la piste,
et j'avais du Charlie Chaplin dans le système,
et c'était cocasse, parce que ça adonnait bien.
Et souin souin souin,
le plancher s'est réchauffé,
le monde a embarqué,
l'habituel mur noir du fond de piste
avait été tendu de papier blanc
sur lequel courait de bas en haut sur toute la largeur,
une large bande de film développé,
pour faire cinématographique.
Les faux piliers étaient aussi habillés de blanc
et décorés de films.

Hier soir au *Lézard,*
je pense qu'il devait y avoir dix gars pour une fille.
Je n'ai pas touché.
Je n'ai fait qu'effleurer Christina,
et j'ai trouvé qu'elle dégageait de la fraîcheur.
  Bien sûr, j'ai pensé brièvement à Bertha-Bella.
  Brièvement.
  Très très brièvement.
  Le temps de trouver curieuse
  cette sensation vivide de fraîcheur.
Enfin…
Elle dansait, me semblait-il, avec un gars
que j'ai considéré être son t'chum, sosie de John Hurt,
vêtu d'un complet crème,
elle-même toute en noir,
  corsage-culotte à bretelles, collant à mi-jambes,
  et petite jupe froncée à la taille.
Cheveux noirs, raides, mi-longs,
et grand nez grec un peu crochu.
Mince, 1 m 67.
Attirante.

Je dis qu'elle dansait avec un gars
que j'ai considéré être son t'chum,

du moins un bout de temps,
jusqu'à ce qu'elle le salue,
qu'il débarque de la piste,
 — notre effleurement s'était déjà produit,
alors qu'elle tourna de bord
et alla danser prestement — almost an assault,
avec un petit jeune homme un peu plus loin
 portant veston vert tendre
 et chemise blanche mignonnement fleurie.
Je compris tout de suite en les voyant
pourquoi un tel allant de sa part :
ils dansaient pareillement.
Ils avaient le même *swing,* le même élan,
c'en était presque sidérant,
et, de toute évidence,
Christina s'en rendait compte,
mais pas le jeune homme.
Non seulement il ne s'en rendait pas compte,
mais l'allante arrivée de Christina
dans son champ de vibration
et son persistant mouvement d'emboîtement
l'affolèrent ;
il s'agita,
et se jeta presque dans les bras
d'un copain à lui à sa droite qui, semble-t-il,
ne demandait que ça,
oh lala.
Christina revint de ce côté-ci de la piste.

Voilà.
Je sais qu'elle s'appelait Christina
parce que plus tard, beaucoup plus tard,
après la fermeture du bar,
j'étais dehors sous le porche
quand ils sortirent, deux filles, trois gars,
et que l'un d'eux, celui au complet crème,
lui cria, d'une voix amollie par la boisson :
— Christina, my car is overthere,
indiquant plus à l'est sur Rachel
alors qu'elle avait commencé à descendre Saint-Denis.

Je les suivis, une demi-minute plus tard,
  c'était mon chemin,
ils étaient en train de monter
dans une petite voiture orange,
Christina était encore debout sur le trottoir,
elle se tourna un peu vers moi quand je passai
et me surprit en me mettant dans les mains
un grand verre avec un fond de liquide dedans,
que je déposai en me retournant
sur le bord de la vitrine-patio du bar *Pastel*
m'imaginant que c'est de là que le verre venait,
puis je lui souris en me redressant,
continuant ma route.

Ainsi alla la vie. 12 : 52

Jeudi
89-09-07

17 : 12 Figaro-ci, Figaro-ci, Figaro-ci, Figaro-là !
Là, lala, lalalalère,
Figaro-ci et Figaro-là.

Pardon.
Je me sens un peu fou.

Je Figarocise et je Figarolàse all of a sudden,
sans savoir pourquoi.
Bien sûr, je suis fatigué,
mais c'est pas une raison.
Alors élucidons :
  Personnage du *Barbier de Séville,*
  du *Mariage de Figaro* et de *la Mère coupable,*
  de Beaumarchais./Barbier passé au service du
  comte Almaviva, il est spirituel et intrigant,
  grand frondeur des abus de l'Ancien Régime.

Il symbolisa le tiers état luttant contre
les privilèges de la noblesse. — Larousse.
Voilà c'est fait.

Quoique, à gratter la matière pour que lumière soit,
on peut parler d'un barbier passé au service du
compte de la vie bonne, bienfaisante et nourricière.
Évidemment, vous m'aurez vu
prendre le compte pour le comte,
la vie pour *vivus*
quoique ici on puisse jouer avec *vivo* et *vivax,*
avec aussi *vivacitas* qui veut dire force de vie,
longue vie, durée,
et la bonté, la bienfaisance et la nourricièreté,
d'*almus,* tout simplement.
... Un jeu d'enfant, quoi.

Autre chose aussi, avant d'abandonner le matériel.
Vous avez remarqué ? :
le barbier, le mariage, et la mère coupable ?
Je veux dire : est-ce que *la mère coupable*
n'a pas fait tinter un petit son de cloche
entre vos deux oreilles ?
D'autant plus que ça sonne un peu fêlé
dans ce beau programme :
beau métier, que dire, une profession,
homme spirituel et intrigant,
au service de la bienfaisante vie,
mariage, et tout et tout, mais oups !,
ça nous revient,
comme une ombre gigantesque :
la mère coupable.
Oh lala.

Voilà.
Ça vous apprendra à Figarociser et à Figarolâser,
ce qui,
rajoutons-le, quant à jouer ce jeu,
nous approche étrangement de l'incision au laser,
et, pourquoi pas,

d'une garde Fletcher,
une maman qui tenait beaucoup à son ombrage.

Je vous en dis pas plus. 18 : 08

19 : 26 Hier soir au *Lézard,*
j'ai dansé comme un fou.

J'ai terminé la soirée,
way past the last call,
à danser-courir tout partout.

Je ne fus pas seul à faire ainsi,
un homme d'Aladine allure en fit autant.

Auparavant, j'avais fait beaucoup de piste
et beaucoup de scène.
Et beaucoup de chaîne.

Vous ai-je déjà dit
qu'il y avait des chaînes sur le bord de la scène ?
Il y en a une sur le grand côté gauche,
exactement à mi-chemin entre les deux montants,
  celui du devant et celui de l'arrière.
Elle est solidement fixée au plafond
et au cadre d'acier du plancher de la scène.
Elle est un peu lousse.
L'autre, fixée mêmement de la même manière,
se trouve entre les deux montants du fond,
  plus rapprochés l'un de l'autre,
  vu que la scène est plus profonde que large.
Elles sont là pour que tu joues avec.
Tu danses tu danses, et puis op !,
tu te *swingnes* après la chaîne,
que tu sois sur la scène ou en bas,
pas d'importance,
tu te secoues après,
tu te pends après,
d'une main, des deux,

tu tombes, te relèves, te tiens, te soutiens,
tu t'garroches, tu reviens,
tu tournes, tu *stiffes,*   tout en suivant le *beat,*
bref, voilà un accessoire tout simple
pour varier grandement ton plaisir,
et danses denses,
ça fait déjà quelques semaines
que je m'amuse à la chaîne   régulièrement.

Hier soir au *Lézard,*
un événement :
  assez tôt dans la soirée,
  je m'amène, dansant, hors piste,
  vers le fond, vers le fond arrière,
  un peu à gauche,
  entre la scène, à ma droite,
  et le haut banc contre le mur gauche,
    prolongement du mur du fond de la piste,
  je m'amène donc dansant vers ce recoin,
  quand soudainement je prends conscience
  de la seule personne qui s'y trouvait,
    debout,
    les fesses appuyées contre le siège du haut banc,
      siège qui, incidemment, depuis cette semaine,
      est recouvert de gazon synthétique d'un vert luisant
      qui produit un bel effet dans tout ce noir,
  quoique pas aussi frappant que celui produit
  par la seule personne en noir qui s'y appuyait :
  Beaublonde.

Je ne l'avais pas vue
depuis la dernière fois où je vous en avais parlé.

Elle se tenait là tranquille,
j'ai modéré ma danse,
je me suis un peu tassé contre la scène,
je l'ai regardée, bien sûr,   avec idée de la saluer,
mais elle regardait vers la piste, à sa droite ;
je dansais mollo,   j'hésitais,
je me suis approché d'elle,

je lui ai dit, à son oreille gauche :
— Est-ce que ça t'a fâchée
que je te parle, l'autre soir ?

Elle a hoché non,
mais d'une manière qui disait « ben non ! »,
un rien d'impatience, il m'a semblé,
de la peine, et une espèce de découragement,
la tête lui a tombé sur la poitrine, kantant à droite,
elle a soupiré, je pense,
je me suis redressé,
elle ne m'a rien dit,
je me suis éloigné, rapproché de la scène,
je me sentais mal à l'aise,
je guettais d'elle un signal,
je me suis remis à danser,
moderato un peu croche,
elle s'est redressée,
elle s'est en allée,
disparaissant derrière la bouffée de nuages
du somptueux décor de l'arrière-scène.

Oh lala, oh lala, oh lala,
que la vie est difficile. 20 : 23

Vendredi
89-09-08

12 : 12 Journée ensoleillée.
Comme hier, comme avant-hier.
Temps chaud.
Beau temps.

J'ai dû, un peu plus tôt,
aller chez *Rachelle-Béry,* coin Rachel et Berri,
m'acheter un pain de blé entier,
et, tant qu'à être à cette hauteur,
j'ai décidé de descendre sur Roy saluer Freddie.

En passant...,
j'ai oublié de vous mentionner une petite chose
quant aux événements du *Lézard,* mercredi soir dernier.
Les artistes, sur leur immense murale,
avaient peint, au cœur d'elle,
  dans un charabia de couleurs,
un homme vert musclé, de profil droit,
rougissant un peu dans le haut,
et qui présentait,
au bout de son bras d'athlète tendu-relevé à 90°,
un beau flambeau, une belle torche,
à une femme bleue assise, de profil droit,
dos à lui,
et aussi athlétiquement musclée.
? ? ?

Pour en revenir à Freddie,
quand je suis entré en son commerce tantôt,
il officiait à sa friteuse,
mais dansant plutôt que drommant,
dansant-roulant,   langoureusement presque,
en grands mouvements lents, avec du ressort dedans,
tandis que Martine Saint-Clair chantait *Folle de vous*
assez fortement.

Je souris, saluant de la main droite.
Freddie sourit, courba salut en sa danse,
puis, toujours sur le rythme,
il alla à l'arrière baisser le son
alors que la pièce achevait,
cédant la place à *Turn Yourself Away,*
an interesting english effort by Mâarteen.

Je ne suis pas resté longtemps,
le temps de manger une vulve, avec un verre de lait,
que je me servis moi-même,
allant d'un pas lent de l'avant du muret à l'arrière.

Freddie me dit :
— T'as l'air poqué, mon grand.

Je dis :
— Ouais…,
    j'ai dormi neuf heures en ligne la nuit dernière,
    mais je pense que j'étais plus fourbu en me levant
    qu'hier soir en me couchant.

Freddie dit, gravement :
— Trop de sexe, ça, mon grand,
    ou pas assez,
et il sourit, malin malin.

Je dis :
— Va chier, Freddie.

Il rit.

Il dit :
— C'tu vrai que tu vas marier la grosse ?

Je m'étais assis en bout de table by then,
mangeant tranquillement ma vulve.
Je dis :
— Oh ! Elle t'a dit ça ?

Il dit :
— Elle semble tout à fait convaincue
    que cela va se faire.
    Elle m'a dit aussi
    qu'elle t'avait brassé le canayen ce qu'il fallait.

Je soupirai.

Je dis :
— Je trouve l'idée grotesque.

Freddie dit :
— Who knows ?
    Elle a peut-être un petit bijou
    entre ses grosses fesses.
    Elle a peut-être là le fruit le plus doux.

Je dis :
— C'est ça, c'est ça.
Vas-y voir,
tu me tiendras au courant.

Il rit.
Puis il se mit à siffloter,
s'occupant de ses beignes.

Bientôt je m'en allai.

J'ai passé plus de temps devant chez Freddie
que dedans.
J'ai regardé les ouvriers aller.
Le trou avait été rouvert,
deux conduits noirs installés dans le fond,
de chaque côté de la tranchée,
puis on le remplissait à nouveau maintenant.

De l'autre côté de l'excavation,
un jeune gars aux cheveux longs sous casque rouge
réinstallait la clôture molle de plastique vermillon.
Un autre jeune gars en casque jaune
avait précédemment percé des trous dans l'asphalte
avec une perceuse motorisée
qui ressemblait bien gros à une tarière à gaz.
Celui au casque rouge planta ensuite en ces trous
une longue tige d'acier en T, futur piquet de clôture,
en utilisant, pour ce faire,
une espèce de dame creuse
qu'il engainait par-dessus la tige, si je puis dire,
de sorte que la tige même servait de rail à la dame,
que le jeune gars n'avait plus qu'à soulever
et à rabattre pesamment,
enfonçant la tige d'autant.

J'ai trouvé très ingénieuse cette dame creuse.
Ou ingénieux le gars qui y a pensé.

Enfin...
Je dis *dame,* mais on peut dire aussi *demoiselle.*
Dans les deux cas il s'agit d'un pilon à main
qui sert à enfoncer les pavés ou à compacter le sol.

Intéressant, non ? 13 : 56

Samedi
89-09-09

13 : 56 Teuf teuf, neuf neuf.
Ça me dit pas grand-chose.

Voilà. Jeu de sons.

Vous ai-je dit que la boucane est revenue au *Lézard*
avec le décor Woodstock ?
Ben oui.
Ils ont installé la machine
dans le recoin formé par le podium et la scène,
à droite,
et tout au long de la soirée, par-ci par-là,
un jet de fumée blanche jaillit des abords de la scène,
parfois un deuxième, parfois un troisième,
ce qui crée alors un véritable brouillard
qui, après la scène, envahit la piste,
dense, dense, dense,
que tu n'y vois rien,
ouh !, mystère,
et l'éclairage se met à jouer là-dedans
produisant des effets saisissants.

Directement au-dessus de la scène, au fond,
en plein centre, fixé au plafond,
plongeant vers la piste,
il y a un Mini-Star 250, un projecteur motorisé
dont le rayon blanc qui fait 10-12 cm de diamètre

éclate en plusieurs dizaines de plus petits,
le tout roulant dans le sens des aiguilles d'une montre.

Un peu plus loin à gauche, au plafond aussi,
mais en dehors de la scène,
une espèce de boule noire motorisée
hérissée d'une quinzaine de lentilles noires
qui sont en fait, chacune, un mini-projecteur,
lançant qui un rayon rouge, qui un rayon vert,
qui un jaune, qui un blanc,
tout cela en roulant également
et en frappant, tout de suite derrière,
le coloré décor de l'arrière-scène,
notamment la bouffée de nuages gris-mauve à gauche,
la planète Neptune au-dessus,
une partie de l'arc-en-ciel,
et une verte étoile au pied de cette dernière.
Mais comme tout cela roule,
la scène est aussi bariolée de ces roulantes couleurs,
de même qu'une partie de la piste,
ainsi que le banc au siège de gazon verdoyant.

On trouve un autre de ces hérissons colorant
au-dessus de l'espace libre,
entre la piste et l'espace billard.

Dans le haut des faux piliers
bordant le long côté de piste vers l'avant,
on a installé de simples spots rouges
dont les rayons, d'environ 7 cm de diamètre au départ,
font du cap et d'épée sur et au-dessus de la piste.

Tous ces éléments d'éclairage et plusieurs autres
sont contrôlables à distance,
ce qui permet au D.J.
de faire des jeux de lumière à peu près à l'infini.

Bon.
Hier soir au *Lézard,*
j'ai dansé quatre heures et demie, *non stop.*

— Je suis allé boire de l'eau quatre-cinq fois.
Faisait chaud, mais faisait chaud !
Je n'ai pas touché.
J'ai dû faire autant de scène que de piste.
Je ne me suis pas pendu souvent aux chaînes.
Il y avait plein de monde.
Sourires rares.
Vie conjugale.
Je suis sorti de là trempé à'lavette.
J'aurais pu tordre mon T-shirt,
celui à la vulve framboisée.
Je l'ai enlevé, chemin faisant.
J'ai marché mes 28 blocs d'un pas tranquille et fatigué.
Ben oui, 28 rues, entre Saint-Denis et Hogan.
Je suis un homme courageux.

Qui pensait à vous, beaucoup plus tôt,
dans la même rue Rachel, mais à l'aller.
Mais oui, je pensais à vous.
Je me disais que vous ne saurez pas
ce qui va advenir entre Bertha-Bella et moi.
Elle m'a donné quinze jours pour lui rendre réponse.
Cela me donne donc jusqu'au dimanche 17 septembre.
Or j'entends remettre à mon éditeur
un manuscrit de cent quatre-vingts pages
à deux-trois pages près.
Considérant où j'en suis présentement
et ce que fut mon rythme de production jusqu'à date,
je me dis que je vais terminer cet ouvrage
au plus tard le vendredi 15 septembre.
Enfin...

Je peux bien vous dire que, quant à moi,
quant à ce que je ressens présentement,
un tel mariage ne se fera jamais.
Mais voici,
je n'oublie pas que j'ai vu bleu.
Et, je vous l'avoue, ça me travaille un peu.
Deuxièmement,
dans la gang de la rue Saint-Hubert,

nous faisons du bodybodage régulièrement.
Il est archi rare que nous nous rencontrions
sans nous toucher, pour au moins un mouvement.
Je ne vous le raconte pas à tout coup
parce qu'il n'y aurait que ça dans ce livre
dont le propos premier est de rapporter
mes efforts de bodybodage dansant au *Lézard*.

Donc, nous nous touchons.
Or quand nous sommes ainsi en relation,
cela suppose parfois une totale soumission,
comme vous avez pu le voir.
Ce qui signifie que tu ne peux pas savoir
ce qui va t'arriver.
Je ne peux pas savoir ce que Bertha-Bella va me faire.
Je ne peux pas savoir non plus
ce que moi, je vais lui faire.

Enfin... 15 : 33

Dimanche
89-09-10

17 : 06 Ce matin vers onze heures,
Lapocalypse me téléphone et me dit :
— Ce midi je fais des hambeûrgeûrs,
ça t'tente-tu ?

Ça adonnait bien,
ma mère recevait ses sœurs pour dîner,
« tu peux venir pareil, ça va leur faire plaisir »,
et je sais bien que ça ne les dérangerait pas
que j'y sois,
mais qu'aussi elles aiment bien se retrouver entre elles
toutes les quatre.
Aussi suis-je allé dîner de *hamburgers*
chez mon ami Lapocalypse

qui m'a reçu en chienne, en jean, et en bedaine,
dans sa cuisine toute rose.

Sa chienne à lui, de mécanique industrielle,
tout aussi élimée que la noire qu'il m'a donnée,
est verte,
ou fut déjà verte, d'un vert forêt de conifères.

Il fait encore chaud pesant dans les maisons,
même si dehors il y a du vent constant,
alors je comprenais absolument
qu'il fût sous sa chienne en bedaine seulement.
Mais qu'il fût en chienne, cependant,
que seulement il fût en chienne,
me troubla un peu le sentiment.
Aussi lui dis-je,
en acceptant l'ambrée Watney's qu'il m'offrait :
— Tu peux me dire
pourquoi tu portes encore à l'occasion
c'te chienne décâlissée ?

Il fit l'étonné.
Puis il fit l'innocent,
soulevant les épaules, roulant la droite,
puis il me dit,
très très très sérieusement, gestuelle à l'appui :
— La mécanique industrielle,
quelque part, fondamentalement,
c'est une affaire de mesure et de précision.
... D'infinie précision.
D'exactitude.

Puis c'est une affaire d'aplomb.

Et c'est finalement une affaire de gros ouvrage.
De force brute.
D'acier.
De grosses machines qui mangent l'acier,
qui le mangent, qui le mordent,
qui le déchirent, qui le traversent,

mais qui aussi le sculptent,
qui, à vives dents, l'épluchent gentiment,
mais mets pas tes doigts là, sacrament !

C'est le feu.
C'est le feu puissant
que tu tiens en main.
C'est l'électrocution maîtrisée,
c'est l'acier qui fond sous ta gouverne,
et c'est toi qui diriges la goutte de fusion.
C'est la torche, c'est la flamme,
c'est le jet de feu,
que tu diminues ou que tu intensifies
et que tu portes à l'industrie.

C'est l'hydraulique et c'est la pneumatique.
Puff-puff tuff-tuff,
que veux-tu savoir encore ?

Je ris.
À cause surtout du puff-puff tuff-tuff.

Il dit :
— Quand je revêts cette chienne,
aussi sacralisée que décâlissée,
insista-t-il, index à l'appui,
c'est un peu comme si je me réanimais de ces choses :
la mesure, la précision,
l'aplomb,
le gros ouvrage,
la gouverne de la passion,
l'exécution, mon ti-gars, l'exécution.
Feu à volonté, tu comprends ?, feu à volonté.
Qu'est-ce que tu prends dans tes *hamburgers* ?

Je ris.
Je faillis m'étouffer dans ma gorgée de bière.

Je lui dis ce que je prenais,
il se frotta les mains et passa à l'action. 18 : 21

Lundi
89-09-11

17 : 14 Plus tard après dîner,
nous nous sommes retrouvés dehors en avant,
assis dans le haut de l'escalier,
parce qu'il y faisait plus frais qu'en dedans.

Lapocalypse assis solide
en ses bottines en cap d'acier,
les jambes écartées,
les coudes sur les avant-cuisses,
à ma gauche,
moi homme habillé de noir en souliers gris,
prenait beaucoup de place,
à mon avis.

Moi aussi, j'ai de grandes jambes,
et j'aime bien me les écarter aussi.

Je sifflotai,
tout en remuant du cul sur la galerie.

Puis je dis,
tout en lui accotant la jambe et en remuant du coude :
— L'autre fois dans le métro,
à la station Longueuil,
j'attendais le train,
accroupi en petit bonhomme contre le mur du quai,
quand une belle jeune fille s'amène,
sur ma gauche,
comme entrant sur le quai et s'avançant au bord,
s'immobilisant à la ligne de sécurité,
blanche de cul, les jambes à l'air,
dorée de dos en bain-de-soleil orangé,
cou en licou,
épaules nues sous longs cheveux blonds embroussaillés.

Ç'a fait click tout de suite.
Je ne sais pas si c'est la chute de l'*ass* ou quoi,
mais l'attirance a tout de suite pogné.

Quand, un peu plus tard, le train est entré,
je me suis levé
et je me suis dirigé vers la même porte qu'elle.
Je me suis assis immédiatement à droite en entrant,
dos à la porte.
Elle était assise immédiatement à ma droite,
perpendiculairement à la porte,
ses genoux nus touchant presque ma cuisse en-jeanée.

Il n'y avait personne sur le banc à côté d'elle.

Là, mon ami, ça chauffa.
Ça vibrait.
Il y avait un courant entre nous, effrayant.
Mais était-ce vraiment entre nous ?
Ou n'était-ce pas seulement moi
qui m'échauffais ?
Mais, oups !,
est-ce que son genou n'est pas un peu plus près ?
Alors peut-être que...
Et vibre et vibre,
la tension montait, la tension montait,
c'était électrisant,
j'avais juste envie
de poser le bout de mon doigt
sur le bout de son genou,
mais j'étais bloqué ben dur, tu comprends ?
On fait pas ça !
On ne touche pas une parfaite inconnue dans le métro.
Tu vas recevoir une claque s'a yeule !
Tu vas passer pour un vicieux.
Tu vas te faire arrêter par la police.
Elle va se mettre à hurler.
Tu vas être ben gêné.
Et roule et roule, esti,
ça roulait dans ma tête,
et ça vibrait dans mes nerfs,
et ma main était sur ma cuisse,
mes doigts à deux centimètres de son beau genou,
le droit,   sa jambe écartée,

oh lala,
je l'ai regardée...,
deux-trois fois je l'ai regardée,
nos yeux ne se sont pas rencontrés,
mais son visage ne me fuyait pas,
non seulement il ne me fuyait pas,
mais ne s'offrait-il pas,
ne s'offrait-il pas à mon regard, un peu troublé,
... *willing* !, en quelque sorte,
attendant juste que je me déniaise, esti d'épais,
ou « faut-il encore qu'on te fasse un dessin ? »

Éh bien, tu vois ?
Je pense qu'effectivement, ça me prend un dessin,
parce que je n'ai absolument pas dégelé de mon banc.

Lapocalypse rit.
Enfin...
Il déboula quasiment en bas de l'escalier.
Il en pleurait.

Il a fallu qu'il entre se moucher.
Il est ressorti avec deux bières caramélées.
Y'était ben mieux de se tranquilliser, le joualvert !
Je ne raconte pas mes misères pour qu'on *rise* de moi.
Et gnan gnan gnan,
ça m'a quand même fait du bien d'en parler.

Il a reconnu *anyway*
qu'on ne vit pas dans une société
où le toucher est bien bien bien développé,
ce qui est une évidence, au fond.

Enfin...,
parle parle jase jase,
tout ce qui me reste dans le fond de la caboche,
c'est « touche !, la prochaine fois, touche »,
il n'y a que de cette manière qu'on puisse y arriver.

Ataboy, les gorlots ! 18 : 43

Mardi
89-09-12

20 : 21 Tard hier soir,
je me proposais de regarder *Le Point*
à la télévision de Radio-Canada,
parce qu'on devait y faire le point
sur la campagne électorale provinciale en cours.

Comme j'avais vu le *Téléjournal* à dix-huit heures,
je n'étais pas très intéressé, en fin de soirée,
à revoir à peu près les mêmes nouvelles ;
aussi vers vingt-deux heures,
suis-je allé du côté de Télé-Métropole
voir Jean-Pierre Coallier *adliber* avec Moreau,
le jovialiste,
et madame Bissonnette, comédienne.

Et je pitonnais, parfois,
et j'ai même fait ma toilette vespérale,
et j'ai finalement manqué le point du *Point,*
c'tu bête !,
mais j'ai pogné une fin de reportage,
vraiment une fin, 10-15 secondes,
qui, étrange étrange !,
allait allumer ma journée ce matin.

On y parlait d'une manufacture de guitares
qui s'appelait GuitarBec ou Guitabec,
qui était située à une place
qui sonnait un peu comme Lavaltrie,
et qui était une place perdue dans la campagne,
semblait-il,
parce qu'on n'arrivait pas à trouver assez d'ouvriers,
et si c'était comme ça,
c'était beaucoup à cause que
les élèves du secondaire
devaient aller étudier quarante kilomètres plus loin,
ce qui fait que
les parents n'étaient pas intéressés à s'établir là,
ce qui fait que,

drame !
À la manufacture,   on devait refuser des contrats.

Bon.

J'oublie ça   et je me couche.

Qu'est-ce que je fais ce matin ?

Éh bien, je téléphone à Radio-Canada
pour savoir c'était quoi le nom de la compagnie,
et où c'était exactement.
Driing, j'explique ça,
on me transfère
au Service des relations avec l'auditoire ;
j'explique,
on me transfère au *Point,*
au bureau du recherchiste en chef, monsieur Lefloch,
où c'est Liliane qui me répond :
j'explique,
elle me dit « je vérifie, je vous rappelle » ;
elle me rappelle,
elle me dit « c'était pas au *Point* » ;
je dis « mais si, je l'ai vu » ;
elle dit « c'était pas au *Point,* c'est pas sur la liste,
ce devait être à la fin du *Téléjournal* » ;
je dis « ah ! »,
elle me transfère aux Nouvelles ;
j'explique,
le gars me dit « oui oui, j'ai vu ça,
c'était quelque part en Beauce » ;
woups !, je prends note,
il dit « attendez, je vérifie le *line-up* »,
il vérifie, il revient,
il dit « non, c'était pas au *Téléjournal,*
ce n'est pas sur le *line-up,*
alors ce devait être au *Point* » ;
je dis « mais non, je viens d'y parler à quelqu'un
qui m'assure qu'ils ne l'ont pas passé » ;
il dit « ah ! qui c'était ? »,

je dis « Liliane »,
il dit « ah ! » ;
j'entends qu'on brasse des papiers,
il dit « bien dites à Liliane
          qu'elle revérifie sa liste »,
gnan gnan gnan, bien poli,
il parlait un peu comme Jean-Paul Belleau,
je le lui ai presque dit,
mais enfin,
retéléphone à Liliane,
qui revérifie,   me revient,
me dit « ah ! c'est pas le reportage que vous avez vu,
          c'est l'annonce du reportage :   20 secondes ;
          le reportage passe ce soir,
          si l'actualité ne s'affole pas » ;
« ah bon », je dis,
« merci, vous êtes bien gentille ».

Je raccroche, je me lève,
je sors ma carte du Québec,
j'examine la Beauce,
je vois La Patrie,
ça click !,
j'appelle l'assistance annuaire de la région,
« nous avons un Guitabec dans la rue Principale »,
« parfait !, donnez-moi ça »,
j'y téléphone,
parle à Nicole
« c'tu vrai que vous engagez à la pelletée,
   et combien vous payez ? »,
elle m'explique que c'est pas tout à fait ça,
qu'ils vont engager peut-être six-sept personnes,
que ça commence à 5 $ l'heure, 40 heures semaine,
qu'il vaudrait peut-être mieux
que j'aille faire un tour,
y rencontrer le patron,
au début de la semaine prochaine sinon cette semaine,
parce que jeudi et vendredi prochains il n'y sera pas,
et, bon bon bon bon,
« je vous rappellerai », je dis.

Je téléphone à Voyageur, les autobus,
y parle à une agréable jeune femme
qui s'occupe de mon affaire
comme si j'étais la seule personne existante au monde,
et qui m'explique,
en vérifiant comme il faut sa « bible » et sa carte,
qu'il n'y a pas d'autobus qui se rendent à La Patrie.

Je retéléphone à Nicole
qui finit par penser
au taxi qui travaille pour eux, tous les jours,
et qui pourrait m'amener de Sherbrooke à La Patrie
pour 8 $,
« mais faut que vous vous arrangiez avec lui avant.
Vous voulez son numéro ? »

« Certainement. »

Voilà.

J'y vais lundi ou mardi prochain.

I must be crazy. 21 : 48

Mercredi
89-09-13

13 : 12 Avec tout ça, je suis arrivé tard au *Lézard,*
hier soir ;
parce que j'ai regardé au *Point*
le reportage au complet
qui s'est terminé vers vingt-trois heures,
heure à laquelle je suis habituellement au *Lézard*
au plus tard.

Chemin faisant, je me disais que,
vu ma tardiveté,
le *party* serait en train quand j'arriverais,
qu'il y aurait du monde sur la piste,
et lalalalala,
mais non.

Six personnes ont descendu l'escalier, s'en allant,
alors que je le montais.

Musique *weird,* vraiment *weird,*
à faire fuir le monde.

À croire que ceux qui restent ne sont pas du monde.

Musique super exigeante, du point de vue de la danse.
Quoique au fond,
une personne en forme
danse vraiment sur tout.

Je n'étais guère en forme,
c'est du moins ce que me disait la musique.

Je pris ma bière au bar et je me promenai,
examinant ci examinant ça, as usual.

La piste était déserte,
deux gars avec un escabeau
s'y amenèrent fixer au plafond, au centre vers l'avant,
une espèce de boîte noire rectangulaire,
qui m'a semblé être un genre de ventilateur,
et qui,
quelques minutes plus tard,
allait quasiment me tomber sur la tête,
alors que je sortais d'une danse vers l'avant.

Plouk ! Boung !
Elle m'est tombée dans le haut du dos
à l'instant même où je venais d'avancer la tête.
Ça ne m'a pas fait mal du tout,

mais m'a beaucoup surpris.
Je me retourne   et vois la boîte noire, une *black light,*
qui pend au bout de son fil
à la hauteur de ma poitrine.

Ah ! tiens.

Tiens tiens tiens tiens.
Je rebrousse chemin,
retourne au fond de la piste,
m'y remets à danser,
trois gars arrivent   avec un escabeau.

Plus tard, pas mal plus tard,
quand la piste fut chaude et remplie de monde,
j'ai presque rentré dans le cul noir d'une jolie femme
avecque mon pénis.   Si si !, avèque.

Elle était de grandeur moyenne,
cheveux blonds ondulés serrés, aux épaules,
débardeur noir,
petite jupe noire, mini mini micro
d'où sortaient belles cuisses, comme beaux gigots,
mais tap tap tap,
elle dansait très mécanique, très robotique,
tapant beaucoup du pied droit,
mais aussi du genou,   et aussi de la cuisse,
et même de la hanche droite,
tap tap tap,
et hanche déhanche et hanche déhanche,
le cul très relevé,   très tendu derrière,
et ça faisait un moment qu'elle s'en venait à reculons,
s'en venait s'en venait s'en venait,
très mécanique, très robotique,
s'approchant s'approchant
que nous roulâmes un bout dans les mêmes vibrations,
et l'*ass* et l'*ass,* et l'*ass* et l'*ass,*
beau rond dodu tendu,   si près si près,
que ça grouilla un peu dans mes culottes,
que je décimentai un peu du plancher,

hésitant hésitant hésitant,
m'approchant, hhouh,   hésitant, fhhouh,
m'approchant, euhh,   effleurant, ôhhh,
pas longtemps, pas longtemps,
tranquillement, elle se tassa à gauche,
... sans sévir,
et danse et danse,
efface efface,
la vie est une bien complexe aventure,
quand au fond je l'aurais prise bien hardiment.

Au *Lézard* hier soir,
dans le cadre des Mardis Interdits, c'était
« surprise party pour l'anniversaire de Daffnée »,
celle-là même qui a du coffre mais pas de totons,
une grande échalasse noire élégamment vêtue
qui fait du *lipsync* avec grand talent
et qui, autrement,
a la voix d'un beau grand garçon,
hon !
Mado Lamotte animait la soirée,
jolie et coquette en Miss Pop-corn.

À la décoration hippique
on avait ajouté comme un faux plafond de rubans blancs,
  5 cm de largeur,   tendus fortement,
comme un réseau de petites routes blanches
dans le firmament noir du *Lézard*.
Sur la scène, derrière un rideau noir,
  laissant libre le podium balcon,
un immense gâteau de fête de trois étages
duquel allait jaillir, le moment venu,
Iva-Novitch the bitch, comme une noire sorcière.

Devant la murale des peintres,
on avait monté une géante pop-cornière,
  ou machine à pop-corn,
  comme on en trouve dans les salles de cinéma,
qui donnait gratuitement ses grains soufflés.

Je ne m'y servis pas,
mais vers la toute fin,
un grand gars aux cheveux ras
  qui venait de se remplir deux longs gobelets,
m'en laissa un en passant,

... comme quoi le monde est *blood*. 15 : 05

Jeudi
89-09-14

10 : 45 Last page.

Hier soir au *Lézard*,
je me suis fait voler ma bière,   assez tôt,
elle était encore pleine aux deux tiers.
Ça m'a un peu vexé,   sur le coup.
Je n'en prends qu'une par soirée, question de sous.

Un peu avant ça,   seul sur la piste,
j'avais fait la danse du ruban.
Il en pendait un le long du faux pilier,
  celui le plus au fond,
  sur le grand côté de la piste le plus rapproché,
long,   d'un peu plus de deux mètres,
pas large,   deux centimètres et demi,
et blanc.
Intéressante variation, ça, danser avec un ruban.
Étonnant,
toutes les gestuelles que tu peux commettre
en tenant le bout d'un ruban.

J'ai fait pas mal de poteau aussi,
pogné après le montant avant droit de la scène.
Ça brassait par là.

Plus tard,   tard tard tard,
j'ai touché une large fille,
fort peu,
au bras et aux cheveux,
et je lui ai souri grandement
au moins vingt-deux fois.

Enfin au plus creux de la nuit,
passé l'appel du dernier service,
j'entre aux toilettes me rafraîchir le visage au lavabo,
m'exécute, splash splash doux doux,
quand entre une jeune femme qui se penche vers moi,
  que j'avais déjà vu danser très sexément
  et que je venais de croiser dans le corridor,
et qui me demande, comme en catimini :
— Connais-tu quelqu'un dans la place
    qui vend de quoi *sniffer* ?
J'hésite, j'y pense deux secondes,
je hoche la tête, je dis :
— Non.
Elle dit :
— Au fond c'est vrai, tu n'dois pas,
    t'as l'air d'un ange, toi,
et puis elle s'en va.

Sitôt sortie,
encore sous le coup de l'étonnement discret,
je me regarde vitement dans le miroir :
un ange ?

Parfait.
Ça finit bien. 11 : 34

TABLE

COLLECTION FICTIONS

Robert Baillie, *Soir de danse à Varennes*
Robert Baillie, *Les voyants*
Robert Baillie, *La nuit de la Saint-Basile*
François Barcelo, *Aaa, Aâh, Ha ou Les amours malaisées*
Léon Bigras, *L'hypothèque*
France Boisvert, *Les samourailles*
France Boisvert, *Li Tsing-tao ou Le grand avoir*
Christine Bonenfant, *Pour l'amour d'Émilie*
Réjean Bonenfant, Louis Jacob, *Les trains d'exils*
Nicole Brossard, *Le désert mauve*
Gilbert Choquette, *L'étrangère ou Un printemps condamné*
Gilbert Choquette, *La Nuit yougoslave*
Gilbert Choquette, *Une affaire de vol*
Guy Cloutier, *La cavée*
Diane-Jocelyne Côté, *Lobe d'oreille*
Diane-Jocelyne Côté, *Chameau et Cie*
Richard Cyr, *Appelez-moi Isaac*
Norman Descheneaux, *Fou de Cornélia*
Norman Descheneaux, *Rosaire Bontemps*
Jean Désy, *La saga de Freydis Karlsevni*
Renée-Berthe Drapeau, *N'entendre qu'un son*
Andrée Ferretti, *Renaissance en Paganie*
Andrée Ferretti, *La vie partisane*
Lise Fontaine, *États du lieu*
Madeleine Gaudreault-Labrecque, *La dame de pique*
Marc Gendron, *Opération New York*
Gérald Godin, *L'ange exterminé*
Marcel Godin, *Après l'Éden*
Marcel Godin, *Maude et les fantômes*
Pierre Gravel, *La fin de l'Histoire*
Pauline Harvey, *Pitié pour les salauds !*
Louis Jacob, *Les temps qui courent*
Claude Jasmin, *Le gamin*
Monique Juteau, *En moins de deux*
Luc Lecompte, *Le dentier d'Énée*
Raymond Lévesque, *Lettres à Éphrem*
Raymond Lévesque, *De voyages et d'orages*
Réjean Legault, *Lapocalypse*
Francine Lemay, *La falaise*
Jacques Marchand, *Le premier mouvement*
Émile Martel, *La théorie des trois ponts*
Luc Mercure, *Entre l'aleph et l'oméga*
Joëlle Morosoli, *Le ressac des ombres*
Alphonse Piché, *Fables*
Simone Piuze, *Les noces de Sarah*
Pierre Savoie, *Autobiographie d'un bavard*
Julie Stanton, *Miljours*
Claude Vaillancourt, *Le Conservatoire*
Pierre Vallières, *Noces obscures*
Yolande Villemaire, *Vava*
Paul Zumthor, *Les contrebandiers*
Paul Zumthor, *La fête des fous*

COLLECTION FICTIONS/ÉROTISME

Charlotte Boisjoli, *Jacinthe*

ROMANS

Gilles Archambault, *Les pins parasols*
Gilles Archambault, *Le voyageur distrait*
Robert Baillie, *Soir de danse à Varennes*
Robert Baillie, *Les voyants*
Robert Baillie, *Des Filles de Beauté*
Robert Baillie, *La nuit de la Saint-Basile*
François Barcelo, *Aaa, Aâh, Ha ou Les amours malaisées*
François Barcelo, *Agénor, Agénor, Agénor et Agénor*
Jean Basile, *Le Grand Khān*
Jean Basile, *La jument des Mongols*
Claude Beausoleil, *Dead Line*
Michel Bélair, *Franchir les miroirs*
Paul-André Bibeau, *La tour foudroyée*
Julien Bigras, *L'enfant dans le grenier*
Léon Bigras, *L'hypothèque*
Charlotte Boisjoli, *Jacinthe*
France Boisvert, *Les samourailles*
France Boisvert, *Li Tsing-tao ou Le grand avoir*
Christine Bonenfant, *Pour l'amour d'Émilie*
Réjean Bonenfant, Louis Jacob, *Les trains d'exils*
Roland Bourneuf, *Reconnaissances*
Marcelle Brisson, *Par delà la clôture*
Nicole Brossard, *L'amèr ou Le chapitre effrité*
Nicole Brossard, *Le désert mauve*
Marielle Brown-Désy, *Marie-Ange ou Augustine*
Gilbert Choquette, *L'étrangère ou Un printemps condamné*
Gilbert Choquette, *La mort au verger*
Gilbert Choquette, *La Nuit yougoslave*
Gilbert Choquette, *Une affaire de vol*
Guy Cloutier, *La cavée*
Guy Cloutier, *La main mue*
Collectif, *Montréal des écrivains*
Diane-Jocelyne Côté, *Lobe d'oreille*
Diane-Jocelyne Côté, *Chameau et Cie*
Richard Cyr, *Appelez-moi Isaac*
Norman Descheneaux, *Fou de Cornélia*
Norman Descheneaux, *Rosaire Bontemps*
Jean Désy, *La saga de Freydis Karlsevni*
Renée-Berthe Drapeau, *N'entendre qu'un son*
Marie-France Dubois, *Le passage secret*
France Ducasse, *Du lieu des voyages*
David Fennario, *Sans parachute*
Andrée Ferretti, *Renaissance en Paganie*
Andrée Ferretti, *La vie partisane*
Jacques Ferron, *Les confitures de coings*
Lise Fontaine, *États du lieu*
Lucien Francœur, *Roman d'amour*
Lucien Francœur, *Suzanne, le cha-cha-cha et moi*
Marie-B. Froment, *Les trois courageuses Québécoises*
Madeleine Gaudreault-Labrecque, *La dame de pique*
Marc Gendron, *Opération New York*
Louis Geoffroy, *Être ange étrange*
Louis Geoffroy, *Un verre de bière mon minou*
Robert G. Girardin, *L'œil de Palomar*
Robert G. Girardin, *Peinture sur verbe*
Arthur Gladu, *Tel que j'étais...*
Gérald Godin, *L'ange exterminé*
Marcel Godin, *Après l'Éden*
Marcel Godin, *Maude et les fantômes*
Luc Granger, *Amatride*
Luc Granger, *Ouate de phoque*
Pierre Gravel, *À perte de temps*
Pierre Gravel, *La fin de l'Histoire*
Jean Hallal, *Le décalage*
Thérèse Hardy, *Mémoires d'une relocalisée*
Pauline Harvey, *Pitié pour les salauds !*
Suzanne Jacob, *Flore cocon*
Louis Jacob, *Les temps qui courent*
Claude Jasmin, *Les cœurs empaillés*
Claude Jasmin, *Pleure pas, Germaine*
Claude Jasmin, *Le gamin*
Monique Juteau, *En moins de deux*
Yerri Kempf, *Loreley*
Louis Landry, *Vacheries*
Claude Leclerc, *Piège à la chair*
Luc Lecompte, *Le dentier d'Énée*
Réjean Legault, *Lapocalypse*
Francine Lemay, *La falaise*
Marie Letellier, *On n'est pas des trous-de-cul*
Raymond Lévesque, *Lettres à Éphrem*
Raymond Lévesque, *De voyages et d'orages*
Andrée Maillet, *Lettres au surhomme*
Andrée Maillet, *Miroir de Salomé*
Andrée Maillet, *Les Montréalais*
Andrée Maillet, *Profil de l'orignal*
Andrée Maillet, *Les remparts de Québec*
André Major, *Le cabochon*
André Major, *La chair de poule*
Jacques Marchand, *Le premier mouvement*
Émile Martel, *La théorie des trois ponts*
Luc Mercure, *Entre l'aleph et l'oméga*
Joëlle Morosoli, *Le ressac des ombres*
Madeleine Ouellette-Michalska, *La femme de sable*
Madeleine Ouellette-Michalska, *Le plat de lentilles*
Paul Paré, *L'antichambre et autres métastases*
Alice Parizeau, *Fuir*
Pierre Perrault, *Toutes isles*
Léa Pétrin, *Tuez le traducteur*
Alphonse Piché, *Fables*
Simone Piuze, *Les noces de Sarah*
Jacques Renaud, *Le cassé et autres nouvelles*
Jacques Renaud, *En d'autres paysages*
Jacques Renaud, *Le fond pur de l'errance irradie*
Jean-Jules Richard, *Journal d'un hobo*
Claude Robitaille, *Le corps bissextil*
Claude Robitaille, *Le temps parle et rien ne se passe*
Saâdi, *Contes d'Orient*
Pierre Savoie, *Autobiographie d'un bavard*
Jean Simoneau, *Laissez venir à moi les petits gars*
Julie Stanton, *Miljours*
François Tétreau, *Le lit de Procuste*
Claude Vaillancourt, *Le Conservatoire*
Pierre Vallières, *Noces obscures*
Yolande Villemaire, *Vava*
Paul Zumthor, *Les contrebandiers*
Paul Zumthor, *La fête des fous*

COLLECTION CENTRE DE RECHERCHE EN LITTÉRATURE QUÉBÉCOISE (CRELIQ)

Maurice Arguin, *Le roman québécois de 1944 à 1965. Symptômes du colonialisme et signes de libération*
Roger Chamberland, *Claude Gauvreau : la libération du regard*
François Dumont, *L'éclat de l'origine. La poésie de Gatien Lapointe*
Alain Fournier, *Un best-seller de la Révolution tranquille,* Les insolences du Frère Untel
Michel Lord, *En quête du roman gothique québécois (1837-1860). Tradition littéraire et imaginaire romanesque*
Jean Morency, *Le thème du regard dans* La montagne secrète *de Gabrielle Roy*
France Nazair Garant, *Ève et le cheval de grève. Contribution à l'étude de l'imaginaire d'Anne Hébert*
Max Roy, *Parti pris et l'enjeu du récit*
Jeanne Turcotte, *Entre l'ondine et la vestale. Analyse des* Hauts cris *de Suzanne Paradis*
Lise Vekeman, *Soi mythique et soi historique. Deux récits de vie d'écrivains*
Claude Viel, *L'arbre à deux têtes ou La quête de l'androgyne dans* Forges froides *de Paul Chanel Malenfant*

COLLECTION ESSAIS LITTÉRAIRES

Micheline Cambron, *Une société, un récit. Discours culturel au Québec (1967-1976)*
Guy Cloutier, *Entrée en matière(s)*
Dominique Garand, *La griffe du polémique. Le conflit entre les régionalistes et les exotiques*
Gilles Marcotte, *Littérature et circonstances*
Pierre Milot, *La camera obscura du postmodernisme*
Pierre Ouellet, *Chutes. La littérature et ses fins*
Lucien Parizeau, *Périples autour d'un langage. L'œuvre poétique d'Alain Grandbois*
Robert Richard, *Le corps logique de la fiction. Le code romanesque chez Hubert Aquin*

COLLECTION POLITIQUE ET SOCIÉTÉ

Louis Balthazar, *Bilan du nationalisme au Québec*
Jean Mercier, *Les Québécois entre l'État et l'entreprise*
Paul Warren, *Le secret du star system américain, une stratégie du regard*

COLLECTION GÉRALD GODIN

Robert Hébert, *L'Amérique française devant l'opinion étrangère, 1756-1960*
Jules Léger, *Jules Léger parle*

COLLECTION ITINÉRAIRES

Anne-Marie Alonzo, *L'immobile*
Élaine Audet, *La passion des mots*
Denise Boucher, *Lettres d'Italie*
Jean-Claude Dussault, *L'Inde vivante*
Arthur Gladu, *Tel que j'étais...*
Suzanne Lamy, *Textes*
Roland et Réjan Legault, *Père et fils*
Johnny Montbarbut, *Si l'Amérique française m'était contée*
Pierre Perrault, *La grande allure, 1. De Saint-Malo à Bonavista*
Pierre Perrault, *La grande allure, 2. De Bonavista à Québec*
Pierre Trottier, *Ma Dame à la licorne*

COLLECTION RENCONTRE QUÉBÉCOISE INTERNATIONALE DES ÉCRIVAINS

Collectif : *Écrire l'amour*
L'écrivain et l'espace
La tentation autobiographique
Écrire l'amour 2
La solitude
L'écrivain et la liberté

ESSAIS

Anne-Marie Alonzo, *L'immobile*
Maurice Arguin, *Le roman québécois de 1944 à 1965. Symptômes du colonialisme et signes de libération*
Élaine Audet, *La passion des mots*
Louis M. Azzaria / André Barbeau / Jacques Elliot, *Dossier mercure*
Louis Balthazar, *Bilan du nationalisme au Québec*
Jean-Michel Barbe, *Les chômeurs du Québec*
Robert Barberis, *La fin du mépris*
Alain Beaulieu / André Carrier, *La coopération, ça se comprend*
Charles Bécard, sieur de Grandville, *Codex du Nord amériquain, Québec 1701*
Yvon Bellemare, *Jacques Godbout, romancier*
Gérard Bergeron, *Du duplessisme à Trudeau et Bourassa*
Jacques F. Bergeron, *Le déclin écologique des lacs et cours d'eau des Laurentides*
Léonard Bernier, *Au temps du « boxa »*
Berthio, *Les cent dessins du centenaire*
Pierre Bertrand, *L'artiste*
Gilles Bibeau, *Les bérets blancs*
Paul-Émile Borduas, *Refus global et autres écrits*
Denise Boucher, *Lettres d'Italie*
Denise Boucher / Madeleine Gagnon, *Retailles*
André-G. Bourassa / Gilles Lapointe, *Refus global et ses environs*
Gilles Bourque, *Classes sociales et question nationale au Québec (1760-1840)*
Jean Bouthillette, *Le Canadien français et son double*
Jacques Brault, *Alain Grandbois*
Marie-Marthe T. Brault, *Monsieur Armand, guérisseur*
Marcelle Brisson, *Maman*
Baudoin Burger, *L'activité théâtrale au Québec (1765-1825)*
Micheline Cambron, *Une société, un récit*
Jacques Cartier, *Voyages de découverte au Canada*
Paul Chamberland, *Terre souveraine*
Paul Chamberland, *Un parti pris anthropologique*
Paul Chamberland, *Un livre de morale*
Reggie Chartrand, *La dernière bataille*
Denys Chevalier / Pierre Perrault / Robert Roussil, *L'art et l'État*
Guy Cloutier, *Entrée en matière(s)*
Collectif, *Apprenons à faire l'amour*
Collectif, *Documents secrets d'ITT au Chili*
Collectif, *Écrire l'amour*
Collectif, *Écrire l'amour 2*
Collectif, *L'écrivain et l'espace*
Collectif, *L'écrivain et la liberté*
Collectif, *Gaston Gouin*
Collectif, *Grandbois vivant*
Collectif, *La grande tricherie*
Collectif, *La lutte syndicale chez les enseignants*
Collectif, *Le Parti acadien*
Collectif, *Parti pris*
Collectif, *La poésie de l'Hexagone*
Collectif, *La poésie des Herbes rouges*
Collectif, *Prendre en main sa retraite*
Collectif, *Québec occupé*
Collectif, *La revue Liberté*
Collectif, *La solitude*
Collectif, *La tentation autobiographique*
Collectif, *Une ville pour nous*
Susan M. Daum / Jeanne M. Stellman, *Perdre sa vie à la gagner*
Serge Desrosiers / Astrid Gagnon / Pierre Landreville, *Les prisons de par ici*
Louise de Grosbois / Raymonde Lamothe / Lise Nantel, *Les patenteux du Québec*
Gilles de La Fontaine, *Hubert Aquin et le Québec*
Gilles des Marchais, *Poésisoïdes*
Pierre Drouilly, *Le paradoxe canadien*
Christian Dufour, *Le défi québécois*
Mikel Dufrenne, *L'œil et l'oreille*
Fernand Dumont, *Le sort de la culture*
François Dumont, *L'éclat de l'origine. La poésie de Gatien Lapointe*
Dupras, *La bataille des chefs*
Jean-Claude Dussault, *L'Inde vivante*
Claude Escande, *Les classes sociales au cégep*
Louis Favreau, *Les travailleurs face au pouvoir*
Henri Gagnon, *La Confédération y a rien là*
Dominique Garand, *La griffe du polémique*
Lise Gauvin, *Lettres d'une autre*
Michel Germain, *L'intelligence artificieuse*
Charles Gill, *Correspondance*
Arthur Gladu, *Tel que j'étais...*
Pierre Godin, *L'information-opium*
Alain Grandbois, *Lettres à Lucienne*
Pierre Gravel, *D'un miroir et de quelques éclats*
Pierre Graveline, *Prenons la parole*
Ernesto « Che » Guevara, *Journal de Bolivie*
Soren Hansen / Jesper Jensen, *Le petit livre rouge de l'étudiant*
Robert Hébert, *L'Amérique française devant l'opinion étrangère*, 1756-1960
Robert Hollier, *Montréal, ma grand'ville*
Gabriel Hudon, *Ce n'était qu'un début*
Jean-Claude Hurni / Laurent Lamy, *Architecture contemporaine au Québec (1960-1970)*
Yvon Johannisse, *Vers une subjectivité constructive*
Yerri Kempf, *Les trois coups à Montréal*
Jean-Daniel Lafond, *Les traces du rêve*
Michèle Lalonde / Denis Monière, *Cause commune*
Suzanne Lamy, *D'elles*
Suzanne Lamy, *Quand je lis je m'invente*
Suzanne Lamy, *Textes*
Gilles Lane, *Si les marionnettes pouvaient choisir*
Jim Laxer, *Au service des U.S.A.*
Michel Leclerc, *La science politique au Québec*
Jules Léger, *Jules Léger parle*
Francine Lemay, *La maternité castrée*
Claire Lejeune, *Âge poétique, âge politique*
Jean-Claude Lenormand, *Québec-immigration : zéro*
Michel Létourneux / André Potvin / Robert Smith, *L'anti-Trudeau*
Robert Lévesque / Robert Migner, *Camillien et les années vingt* suivi de *Camillien au goulag*
Charles Lipton, *Histoire du syndicalisme au Canada et au Québec (1827-1959)*
Jacques Mackay, *Le courage de se choisir*
Pierre Maheu, *Un parti pris révolutionnaire*
Jean Marcel, *Jacques Ferron malgré lui*
Gilles Marcotte, *Littérature et circonstances*
Gilles Marcotte, *Le roman à l'imparfait*
Robert Marteau, *Ce qui vient*
Jean Mercier, *Les Québécois entre l'État et l'entreprise*
Madeleine Ouellette-Michalska, *L'échappée des discours de l'œil*

Pierre Milot, *La camera obscura du postmodernisme*
Johnny Montbarbut, *Si l'Amérique française m'était contée*
Claude Morin, *Le pouvoir québécois... en négociation*
Jean-Marie Nadeau, *Carnets politiques*
Trung Viet Nguyen, *Mon pays, le Vietnam*
Pierre Ouellet, *Chutes*
Fernand Ouellette, *Journal dénoué*
Fernand Ouellette, *Ouvertures*
Lucien Parizeau, *Périples autour d'un langage*
André Patry, *Visages d'André Malraux*
René Pellerin, *Théories et pratiques de la désaliénation*
Claude Péloquin, *Manifeste infra* suivi d'*Émissions parallèles*
Pierre-Yves Pépin, *L'homme éclaté*
Pierre-Yves Pépin, *L'homme essentiel*
Pierre-Yves Pépin, *L'homme gratuit*
Pierre Perrault, *Camératages*
Pierre Perrault, *De la parole aux actes*
Pierre Perrault, *La grande allure, 1. De Saint-Malo à Bonavista*
Pierre Perrault, *La grande allure, 2. De Bonavista à Québec*
Joseph Pestieau, *Guerres et paix sans état*
Jean-Marc Piotte, *La pensée politique de Gramsci*
Jean-Marc Piotte, *Sur Lénine*
Henri Poupart, *Le scandale des clubs privés de chasse et de pêche*
Jérôme Proulx, *Le panier de crabes*
Revon Reed, *Lâche pas la patate*
Robert Richard, *Le corps logique de la fiction*
Marcel Rioux, *Anecdotes saugrenues*
Marcel Rioux, *Le besoin et le désir*
Marcel Rioux, *Pour prendre publiquement congé de quelques salauds*
Marcel Rioux, *La question du Québec*
Marcel Rioux, *Une saison à la Renardière*
Guy Robert, *La poétique du songe*
Raoul Roy, *Jésus, guerrier de l'indépendance*
Raoul Roy, *Les patriotes indomptables de La Durantaye*
Jean Royer, *Écrivains contemporains, entretiens 1 (1976-1979)*
Jean Royer, *Écrivains contemporains, entretiens 2 (1977-1980)*
Jean Royer, *Écrivains contemporains, entretiens 3 (1980-1983)*
Jean Royer, *Écrivains contemporains, entretiens 4 (1981-1986)*
Jean Royer, *Écrivains contemporains, entretiens 5 (1986-1989)*
Stanley-Bréhaut Ryerson, *Capitalisme et confédération*
Rémi Savard, *Destins d'Amérique*
Rémi Savard, *Le rire précolombien dans le Québec d'aujourd'hui*
Rémi Savard, *Le sol américain*
Rémi Savard, *La voix des autres*
Rémi Savard / Jean-Pierre Proulx, *Canada, derrière l'épopée, les autochtones*
Robert-Lionel Séguin, *L'esprit révolutionnaire dans l'art québécois*
Robert-Lionel Séguin, *La victoire de Saint-Denis*
Jocelyne Simard, *Sentir, se sentir, consentir*
Jean Simoneau, *Avant de se retrouver tout nu dans la rue*
Jeanne M. Stellman, *La santé des femmes au travail*
Jean-Marie Therrien, *Parole et pouvoir*
Pierre Trottier, *Ma Dame à la licorne*
Paul Unterberg, *100,000 promesses*
Pierre Vadeboncœur, *La dernière heure et la première*
Pierre Vadeboncœur, *Les deux royaumes*
Pierre Vadeboncœur, *Indépendances*
Pierre Vadeboncœur, *Lettres et colères*
Pierre Vadeboncœur, *To be or not to be, that is the question*
Pierre Vadeboncœur, *Trois essais sur l'insignifiance* suivis de *Lettre à la France*
Pierre Vadeboncœur, *Un génocide en douce*
Pierre Vallières, *Nègres blancs d'Amérique*
Pierre Vallières, *L'urgence de choisir*
Lise Vekeman, *Soi mythique et soi historique*
Claude Viel, *L'arbre à deux têtes*
Paul Warren, *Le secret du star system américain, une stratégie du regard*
Heinz Weinmann, *Du Canada au Québec*
Heinz Weinmann, *Cinéma de l'imaginaire québécois*
Lao Zi, *Le tao et la vertu*

COLLECTION DE POCHE TYPO

1. Gilles Hénault, *Signaux pour les voyants*, poésie, préface de Jacques Brault (l'Hexagone)
2. Yolande Villemaire, *La vie en prose*, roman (Les Herbes rouges)
3. Paul Chamberland, *Terre Québec* suivi de *L'afficheur hurle*, de *L'inavouable* et d'*Autres poèmes*, poésie, préface d'André Brochu (l'Hexagone)
4. Jean-Guy Pilon, *Comme eau retenue*, poésie, préface de Roger Chamberland (l'Hexagone)
5. Marcel Godin, *La cruauté des faibles*, nouvelles (Les Herbes rouges)
6. Claude Jasmin, *Pleure pas, Germaine*, roman, préface de Gérald Godin (l'Hexagone)
7. Laurent Mailhot, Pierre Nepveu, *La poésie québécoise*, anthologie (l'Hexagone)
8. André-G. Bourassa, *Surréalisme et littérature québécoise*, essai (Les Herbes rouges)
9. Marcel Rioux, *La question du Québec*, essai (l'Hexagone)
10. Yolande Villemaire, *Meurtres à blanc*, roman (Les Herbes rouges)
11. Madeleine Ouellette-Michalska, *Le plat de lentilles*, roman, préface de Gérald Gaudet (l'Hexagone)
12. Roland Giguère, *La main au feu*, poésie, préface de Gilles Marcotte (l'Hexagone)
13. Andrée Maillet, *Les Montréalais*, nouvelles (l'Hexagone)
14. Roger Viau, *Au milieu, la montagne*, roman, préface de Jean-Yves Soucy (Les Herbes rouges)
15. Madeleine Ouellette-Michalska, *La femme de sable*, nouvelles (l'Hexagone)
16. Lise Gauvin, *Lettres d'une autre*, essai/fiction, préface de Paul Chamberland (l'Hexagone)
17. Fernand Ouellette, *Journal dénoué*, essai, préface de Gilles Marcotte (l'Hexagone)
18. Gilles Archambault, *Le voyageur distrait*, roman (l'Hexagone)
19. Fernand Ouellette, *Les heures*, poésie (l'Hexagone)
20. Gilles Archambault, *Les pins parasols*, roman (l'Hexagone)
21. Gilbert Choquette, *La mort au verger*, roman, préface de Pierre Vadeboncœur (l'Hexagone)
22. Nicole Brossard, *L'amèr ou Le chapitre effrité*, théorie/fiction, préface de Louise Dupré (l'Hexagone)
23. François Barcelo, *Agénor, Agénor, Agénor et Agénor*, roman (l'Hexagone)
24. Michel Garneau, *La plus belle île* suivi de *Moments*, poésie (l'Hexagone)
25. Jean Royer, *Poèmes d'amour*, poésie, préface de Noël Audet (l'Hexagone)
26. Jean Basile, *La jument des Mongols*, roman, préface de Carole Massé (l'Hexagone)
27. Denise Boucher, Madeleine Gagnon, *Retailles*, essais/fiction (l'Hexagone)
28. Pierre Perrault, *Au cœur de la rose*, théâtre, préface de Madeleine Greffard (l'Hexagone)
29. Roland Giguère, *Forêt vierge folle*, poésie, préface de Jean-Marcel Duciaume (l'Hexagone)
30. André Major, *Le cabochon*, roman (l'Hexagone)
31. Collectif, *Montréal des écrivains*, fiction, présentation de Louise Dupré, Bruno Roy, France Théoret (l'Hexagone)
32. Gilles Marcotte, *Le roman à l'imparfait*, essai (l'Hexagone)
33. Berthelot Brunet, *Les hypocrites*, roman, préface de Gilles Marcotte (Les Herbes rouges)
34. Jean Basile, *Le Grand Khān*, roman, préface de Carole Massé (l'Hexagone)
35. Raymond Lévesque, *Quand les hommes vivront d'amour...*, chansons et poèmes, préface de Bruno Roy (l'Hexagone)
36. Louise Bouchard, *Les images*, récit (Les Herbes rouges)
37. Jean Basile, *Les voyages d'Irkoutsk*, roman, préface de Carole Massé (l'Hexagone)
38. Denise Boucher, *Les fées ont soif*, théâtre, introduction de Lise Gauvin, préface de Claire Lejeune (l'Hexagone)
39. Nicole Brossard, *Picture Theory*, théorie/fiction, préface de Louise H. Forsyth (l'Hexagone)
40. Robert Baillie, *Des filles de Beauté*, roman, entretien avec Jean Royer (l'Hexagone)
41. Réjean Bonenfant, *Un amour de papier*, roman, préface de Gérald Gaudet (l'Hexagone)
42. Madeleine Ouellette-Michalska, essai, *L'échappée des discours de l'œil*, essai (l'Hexagone)
43. Réjean Bonenfant, Louis Jacob, *Les trains d'exils*, roman, postface de Louise Blouin (l'Hexagone)
44. Berthelot Brunet, *Le mariage blanc d'Armandine*, contes (Les Herbes rouges)
45. Jean Hamelin, *Les occasions profitables*, roman (Les Herbes rouges)
46. Fernand Ouellette, *Tu regardais intensément Geneviève*, roman, préface de Joseph Bonenfant (l'Hexagone)
47. Jacques Ferron, *Théâtre I*, introduction de Jean Marcel (l'Hexagone)
48. Paul-Émile Borduas, *Refus global et autres écrits*, essais, présentation d'André-G. Bourassa et de Gilles Lapointe (l'Hexagone)
49. Jacques Ferron, *Les confitures de coings*, récits (l'Hexagone)
50. John George Lambton Durham, *Le Rapport Durham*, document, traduction et introduction de Denis Bertrand et d'Albert Desbiens (l'Hexagone)
51. Jacques Renaud, *Le cassé*, nouvelles (l'Hexagone)
52. Jacques Ferron, *Papa Boss* suivi de *La créance*, récits (l'Hexagone)
53. André Roy, *L'accélérateur d'intensité*, poésie (Les Herbes rouges)
54. Jean-Yves Soucy, *L'étranger au ballon rouge*, contes (Les Herbes rouges)

Cet ouvrage composé en Times corps 11
a été achevé d'imprimer sur les presses
de l'Imprimerie Gagné à Louiseville
en mars 1991 pour le compte des
Éditions de l'Hexagone.

Ce livre est imprimé sur
du papier contenant plus
de 50% de papier recyclé
dont 5% de fibres recyclées.

Imprimé au Québec (Canada)